UDC

中华人民共和国国家标准

P

GB 51034－2014

多晶硅工厂设计规范

Code for design of polysilicon plant

2014－08－27 发布　　2015－05－01 实施

中华人民共和国住房和城乡建设部
中华人民共和国国家质量监督检验检疫总局
联合发布

中华人民共和国国家标准

多晶硅工厂设计规范

Code for design of polysilicon plant

GB 51034－2014

主编部门：中 国 有 色 金 属 工 业 协 会
批准部门：中华人民共和国住房和城乡建设部
施行日期：2 0 1 5 年 5 月 1 日

中国计划出版社

2014 北 京

中华人民共和国国家标准

多晶硅工厂设计规范

GB 51034-2014

☆

中国计划出版社出版

网址：www.jhpress.com

地址：北京市西城区木樨地北里甲11号国宏大厦C座3层

邮政编码：100038　电话：(010) 63906433（发行部）

新华书店北京发行所发行

北京市科星印刷有限责任公司印刷

850mm×1168mm　1/32　4印张　96千字

2015年3月第1版　2015年3月第1次印刷

☆

统一书号：1580242·535

定价：24.00元

中华人民共和国住房和城乡建设部公告

第530号

住房城乡建设部关于发布国家标准《多晶硅工厂设计规范》的公告

现批准《多晶硅工厂设计规范》为国家标准，编号为GB 51034—2014，自2015年5月1日起实施。其中，第4.2.8、6.1.3(9)、6.1.6(3)、6.2.8(3)、8.1.1、8.2.1(2、3、5)、8.2.5(3)、8.3.1(2、3)、8.3.2(2)、8.6.4、9.1.3、9.3.4、9.4.3、9.5.2、10.1.3、10.3.4、10.3.6、10.3.9、11.1.6、11.2.3、12.2.5条(款)为强制性条文，必须严格执行。

本规范由我部标准定额研究所组织中国计划出版社出版发行。

中华人民共和国住房和城乡建设部

2014年8月27日

前　　言

本规范是根据住房城乡建设部《关于印发〈2011年工程建设标准规范制订、修订计划〉的通知》(建标〔2011〕17号)的要求，由中国有色工程有限公司、中国恩菲工程技术有限公司会同有关单位共同编制完成的。

在本规范编制过程中，编制组进行了广泛深入的调查研究，认真总结了我国多晶硅行业的设计、科研、建设和管理经验，并在广泛征求意见的基础上，通过反复讨论、修改和完善，最后经审查定稿。

本规范共分12章和3个附录，主要内容包括：总则，术语，基本规定，厂址选择及厂区规划，工艺设计，电气及自动化，辅助设施，建筑结构，给水、排水和消防，采暖、通风与空气调节，环境保护、安全和卫生，节能、余热回收等。

本规范中以黑体字标志的条文为强制性条文，必须严格执行。

本规范由住房城乡建设部负责管理和对强制性条文的解释，由中国有色金属工业工程建设标准规范管理处负责日常管理工作，由中国恩菲工程技术有限公司负责具体技术内容的解释。在本规范执行过程中如有意见和建议，请寄送中国恩菲工程技术有限公司(地址：北京市海淀区复兴路12号，邮政编码：100038)，以供今后修订时参考。

本规范主编单位、参编单位、参加单位、主要起草人和主要审查人：

主 编 单 位：中国有色工程有限公司

中国恩菲工程技术有限公司

参 编 单 位：华陆工程科技有限公司

洛阳中硅高科技有限公司
多晶硅制备技术国家工程实验室
江西赛维 LDK 光伏硅科技有限公司

参 加 单 位: 国电内蒙古晶阳能源有限公司
昆明冶研新材料股份有限公司

主要起草人: 严大洲 杨永亮 毋克力 肖荣晖 汤传斌
郑红梅 罗 英 陈希勇 吴崇义 唐广怀
陈维平 薛民权 付小林 姚又省 杨 健
吴昌元 朱 舲 赵晓静 李 超 杨志国
孙 兵 司文学 姜利霞 张升学 谢冬晖
万 烨 王利强 高晓辉

主要审查人: 朱黎辉 袁 桐 杨铁荣 贺东江 周齐领
江元升 陈廷显 崔树玉 银 波 刘 毅

目　　次

Contents

1 总 则

1.0.1 为规范多晶硅工厂的工程设计，提高工程设计质量，做到技术先进、经济合理、安全可靠、环保节能，制定本规范。

1.0.2 本规范适用于采用三氯氢硅氢还原法的新建、扩建和改建多晶硅工厂的工程设计，也适用于硅烷歧化法多晶硅厂中三氯氢硅合成、四氯化硅氢化和氯硅烷提纯的工程设计。

1.0.3 多晶硅工厂设计应积极采用节能、环保、高效、先进的装备和工艺，提高资源、能源利用率，实现物料、能源综合利用和清洁生产。

1.0.4 多晶硅工厂设计除应符合本规范外，尚应符合国家现行有关标准的规定。

2 术　　语

2.0.1 三氯氢硅氢还原法　trichlorosilane hydrogen reduction process

经过不断完善的多晶硅生产主流工艺，是将高纯三氯氢硅与高纯氢气按一定比例通入还原炉，发生还原或热分解反应，在1050℃左右的高纯硅芯基体表面上沉积生长多晶硅；同时具备回收、利用生产过程中伴随产生的氢气、氯化氢、四氯化硅等副产物以及副产热能，最大限度地实现“物料内部循环、能量综合利用”的多晶硅生产工艺。

2.0.2 多晶硅　polysilicon

单质硅的一种形态，硅原子以晶格形态排列成许多晶核，晶核长成晶面取向不同的晶粒，晶粒组合结晶成多晶硅。根据用途可分为太阳能级和半导体级。

2.0.3 还原尾气干法回收　reduction off-gas recovery by dry method

一种相对于传统湿法回收尾气工艺的方法，利用尾气中各组分物理化学性质的差异采用冷凝、吸收、解析、吸附等方法，将其逐一分开回收、提纯，再重新返回生产系统循环利用。

2.0.4 四氯化硅氢化　silicon tetrachloride hydrogenation

一种处理多晶硅副产物四氯化硅的方法，与氢反应将其转换成三氯氢硅。

2.0.5 三氯氢硅合成　trichlorosilane synthesis

一种制取三氯氢硅的方法，将硅粉和氯化氢通入有一定温度的反应器内通过化学反应生成三氯氢硅。

2.0.6 氯硅烷精馏　chlorosilane distillation

一种通过气液交换，实现传质、传热，使氯硅烷混合物得到高纯度分离的方法。

2.0.7 液氯汽化 liquid chlorine vaporization

一种将液氯加热蒸发成氯气的方法。

2.0.8 氯化氢合成 hydrogen chloride synthesis

通过化学反应将氢气、氯气生成氯化氢气体的方法。

2.0.9 盐酸解析 hydrochloric acid stripping

一种将氯化氢从盐酸中解析出来的方法。

2.0.10 还原炉 reduction reactor

一种生产棒状多晶硅的专用设备。

2.0.11 二氯二氢硅反歧化 inverse disproportionating of dichlorosilane

一种回收利用二氯二氢硅的方法，通过化学反应将二氯二氢硅与四氯化硅转化成三氯氢硅。

2.0.12 多晶硅后处理 polysilicon handling

根据客户和产品分析检测的要求，多晶硅出炉后进一步处理的统称，包括切除头尾、钻棒、滚圆、破碎、分拣、称重、腐蚀、清洗、干燥及包装等。

2.0.13 氯硅烷 chlorosilane

硅烷(SiH_4)中的氢原子部分或全部被氯原子取代后的物质统称。通常包括四氯化硅($SiCl_4$)、三氯氢硅($SiHCl_3$)、二氯二氢硅(SiH_2Cl_2)、一氯三氢硅(SiH_3Cl)等。

2.0.14 还原尾气 reduction off-gas

还原炉内生成多晶硅的反应过程中未参与反应的原料和生成的副产物的混合气体，主要包括氢气、气态氯硅烷及氯化氢等。

2.0.15 防爆防护墙 explosion-proof protective wall

具有一定防爆能力的隔墙，能防止爆炸产生的飞散物对设施及人员的伤害。

3 基 本 规 定

3.0.1 太阳能级多晶硅工厂的设计规模应符合国家现行有关光伏制造行业规范条件的要求。

3.0.2 多晶硅工厂应采用符合国家现行有关光伏制造行业规范条件要求的先进工艺技术、节能环保的工艺设备以及安全设施。

3.0.3 多晶硅工厂设计应符合现行国家标准《多晶硅企业单位产品能源消耗限额》GB 29447 等有关安全、环保、节能、消防以及劳动卫生的规定。

4 厂址选择及厂区规划

4.1 厂址选择

4.1.1 厂址选择应符合国家产业政策、用地政策、区域规划及行业专项规划的要求，并应按国家有关法律、法规及前期工作的规定进行。

4.1.2 厂址选择时，应对建厂条件进行调查，应论证和评价厂址对当地经济、社会和环境的影响，并应满足防灾、安全、环保及卫生防护的要求。

4.1.3 厂址选择应符合现行国家标准《工业企业总平面设计规范》GB 50187 及《化工企业总图运输设计规范》GB 50489 的相关规定，并应符合国家现行有关光伏制造行业规范条件的要求。

4.1.4 厂址宜布局于能源充足、水资源有保障、基础设施配套成熟、产业链布局合理的化工园区，宜采用电厂-多晶硅-化工联营的建厂模式。

4.1.5 厂址应具有满足工程建设要求的工程地质和水文地质条件，并应避开有用矿藏和文物遗址区。

4.1.6 厂址应位于城镇、居民区、工业园区全年最小频率风向的上风侧，不应选在窝风及全年静风频率较高的区域。

4.1.7 配套居住区应与厂区用地同时选择，并宜依托当地城镇的居住设施。

4.1.8 厂址标高宜高于防洪标准的洪水位 0.5m 以上；不能满足要求时，厂区应有防洪设施，并应在初期工程中一次建成。当厂址位于内涝地区，并有排涝设施时，厂址标高应高于设计内涝水位 0.5m 以上。

4.1.9 厂址选择应利用荒地、劣地、山坡地及非耕地，并应促进建设用地的集约利用和优化配置。

4.2 厂区规划

4.2.1 厂区近期规划应与企业长远发展、区域规划相一致，宜利用城市或园区已有的水、电、汽、消防、污水处理等公用设施；分期建设的工厂，近远期工程应统一规划，近期工程应集中、紧凑、合理布置，并应与远期工程合理衔接。

4.2.2 厂区应根据工厂规模、生产工艺流程、运输、环保、防火、安全、卫生等要求，并结合当地自然条件规划。

4.2.3 厂区规划应利用地形、地势、工程地质及水文地质条件，合理布置建(构)筑物，并应减少土(石)方工程量和基础工程费用。

4.2.4 厂区应按功能分区规划，可分为生产区、公用工程及辅助设施区、储运区、行政办公及生活服务区。可能散发可燃气体的工艺装置、罐组、装卸区或全厂性污水处理场等设施，宜布置在人员集中场所、明火或散发火花地点的全年最小频率风向的上风侧；行政办公及生活服务区宜布置在厂区全年最小频率风向的下风侧，且环境洁净的地段；公用工程及辅助设施区宜布置在生产区与行政办公及生活服务区之间。

4.2.5 厂区总平面设计应满足生产要求，应根据场地和气象条件布置；厂区总平面布置应满足节能环保的要求，并应保持生产系统流程和人流、物流的顺畅。车间布置应符合下列规定：

1 还原车间、多晶硅后处理及检测分析等有洁净等级要求的生产单元应布置在厂区有害气体和固体尘埃释放源的全年最小频率风向的下风侧。

2 多晶硅后处理、硅芯制备、检测分析及产品库宜贴邻还原厂房。

3 氯硅烷精馏、四氯化硅冷氢化以及还原尾气干法回收等生产单元在满足生产、操作、安装及检修的条件下，应采用框架结构或露天布置，宜集中布置。

4 液氯库、氯硅烷罐区、氢气罐区等宜靠近厂区一侧布置，并应设置安全的装卸场地、装卸通道和装卸设施；构成重大危险源的装置与厂外周边区域的防火间距应符合现行国家标准《建筑设计防火规范》GB 50016、《石油化工企业设计防火规范》GB 50160 的有关规定。

5 原辅材料及产品应根据性质分类储存，并应布置在便于运输的地段。

6 电力、动力、热力及供水设施宜位于负荷中心或接近服务对象，管线输送宜短捷。总降压变电站应接近还原车间、热氢化车间等用电负荷大的生产单元，并应保证进出线方便；还原车间、热氢化车间的余热回收或热能转换设施应接近或紧靠还原车间、热氢化车间、氯硅烷精馏装置。

7 相对独立的生产单元的工艺辅助设施宜就近配置，应减少非相关系统对其的影响。

8 循环水站宜布置于通风良好的场所，应远离无组织排放的粉尘或可溶性化学物质的地段。

9 三废处理站应布置在厂区全年最小频率风向的上风侧，并远离生活区，应符合安全卫生要求。

10 各生产单元宜采用集中控制，控制室应布置于爆炸危险区域外，应满足相关安全要求。

11 生产区域内的生活设施宜独立布置或紧邻布置在一侧，并应位于甲类设施全年最小频率风向的下风侧，生活设施的设计应满足防火防爆的要求。

12 办公楼、食堂等生产行政管理设施应与生产区分开布置，并宜布置在厂区全年最小频率风向的下风侧，宜根据城市干道和厂区道路情况确定工厂主要出入口的位置。

4.2.6 厂区道路布置除应满足生产和消防的要求外，还应符合下列规定：

1 应满足通道两侧建(构)筑物及露天设施对防火、安全、卫生间距的要求；

2 应满足各种管线、管廊、道路、竖向设计及绿化布置的要求；

3 应满足施工、安装及检修的要求；

4 应满足预留发展用地的要求。

4.2.7 厂区绿化应符合下列规定：

1 应依据当地的气候条件、土壤等因素布置和选择；

2 应与厂区总平面布置、管网相适应，并应与周围环境、建(构)筑物相协调；

3 不应妨碍生产操作、设备检修、消防作业和物料运输；

4 应根据生产特点、污染状况选择有利于安全生产和职业卫生的植物。

4.2.8 厂区内或附近必须设置四氯化硅等还原反应副产物综合利用或处理设施，四氯化硅等还原反应副产物应综合利用，并应做到无害化处理。

4.2.9 地下管线与建(构)筑物、其他管线的水平距离应根据工程地质条件、构架基础形式、检查井结构、管线埋深、管道直径和管内介质的性质等因素确定，并宜符合本规范附录A、附录B的规定。

5 工艺设计

5.1 一般规定

5.1.1 三氯氢硅氢还原法多晶硅生产工艺流程的设计和工艺设备的选型应符合下列规定：

1 应对建设规模、产品方案、建厂条件、原料与燃料性能及价格、能源消耗、经济效益等进行技术经济比较后确定工艺流程和主要设备；

2 应选择符合国家制造标准、节能环保、先进高效、安全可靠的工艺设备；

3 应采用符合循环经济要求的新技术、新工艺、新设备；

4 物料平衡和能量平衡应根据选定的工艺流程进行计算；

5 不同工序的系统设计、设备选型与配备应根据每个工序和单体设备的运转效率及中间产品的操作需求综合平衡后确定，并应保证生产系统的操作弹性和余量，同时应满足生产负荷变化和生产安全的要求；

6 在高海拔、高寒和湿热地区建厂，应根据海拔高度对工艺计算、设备选型进行修正，所选用的设备应满足其特殊环境要求。

5.1.2 工艺布置应符合下列规定：

1 总平面布置应满足工艺流程的要求，宜留有发展空间；

2 工艺车间宜根据工艺流程和设备选型确定，并应在平面和空间上，满足施工、安装、操作、维护、监测和通行的要求。

5.1.3 工艺流程选择、设备选型及工艺布置，应根据多晶硅生产主要物料的易燃、易爆、有毒及火灾危险等危害特性确定。

5.1.4 寒冷地区的管路系统应采取防冻措施。

5.1.5 新建、改建或扩建工厂内各生产单元的蒸汽、电力及综合能耗总额，不应大于现行国家标准《多晶硅企业单位产品能源消耗限额》GB 29447 中规定的限额准入值。

5.1.6 工艺生产装置应设有事故紧急排放设施，工艺废气应根据介质种类、粉尘含量和危险性单独或全厂分类、集中回收处理。

5.1.7 工艺设计范围应包括三氯氢硅合成和四氯化硅氢化、氯硅烷提纯、三氯氢硅氢还原、还原尾气干法回收、多晶硅产品后处理、二氯二氢硅(DCS)反歧化等生产车间或单元，以及相应的工艺辅助设施。

5.1.8 工艺生产系统内的设备、管道的材质以及管阀件，应根据物料性质和工况条件选取，并应采取相应的安全防护措施。

5.1.9 工艺主要生产房间洁净度的设计要求宜符合本规范附录C的规定。

5.2 三氯氢硅合成和四氯化硅氢化

5.2.1 多晶硅工厂应有四氯化硅(STC)氢化装置，企业可根据生产规模、当地三氯氢硅供应以及投资规模等方面综合比较后确定是否增加三氯氢硅合成装置。

5.2.2 三氯氢硅合成工序的原料之一的氯化氢(HCl)可采用氯化氢合成或盐酸解析工艺制取。

5.2.3 液氯汽化工序的液氯汽化器应采用热水加热，水温宜为40℃～70℃，不应使用蒸汽加热，并应设置冬、夏季不同温度的冷、热水汽化液氯。液氯汽化工序的设计应符合现行国家标准《氯气安全规程》GB 11984 的有关规定。

5.2.4 三氯氢硅合成工序应采用干、湿结合的除尘工艺，并应提高单次运行时间。

5.2.5 三氯氢硅合成工序的工艺尾气应采用吸附装置回收氢气和氯化氢。

5.2.6 合成和冷氢化工序宜设置硅粉干燥工序，干燥用气应回收循环使用。

5.2.7 四氯化硅氢化装置应根据多晶硅生产规模、所在地区能源价格、投资成本及建设周期综合经济比较后确定采取高温氢化工艺、固定床冷氢化工艺或流化床冷氢化工艺。

5.2.8 氢化装置宜与氢化冷凝液提纯装置临近布置。

5.2.9 冷氢化装置应配套残液回收装置，并应就近配置。

5.2.10 冷氢化装置宜独立设置于敞开或半敞开式的构筑物内，制冷系统可布置于建筑物内；附属辅助系统宜在满足防火间距的基础上毗连布置。

5.2.11 主要设备选型应符合下列规定：

1 氢气压缩机应选择密封性好、噪声小、故障率低的机型，宜设置备用机；

2 宜选用运行稳定、故障率低、密封好的泵，应设置备用机。

5.3 氯硅烷提纯

5.3.1 提纯流程和塔内件应根据物料原料组分、提纯难易程度以及产品要求比较分析后确定。

5.3.2 氯硅烷提纯宜选用差压耦合提纯技术。

5.3.3 氯硅烷提纯工序的布置应符合下列规定：

1 大直径塔宜独立、露天布置，用法兰连接的多节组合塔以及直径不大于 600mm 的塔宜布置于框架结构内；

2 塔的布置宜采用单排形式，并应按提纯流程顺序以塔的外壁或中心线对齐，还应设置联合平台，各塔平台的连接走道结构应能满足各塔伸缩量及基础沉降的不同要求；

3 附属设备宜靠近塔布置，并应留有安装、生产、维修空间；

4 差压耦合塔的差压耦合再沸器、冷凝器和回流罐的标高宜逐渐降低。

5.3.4 氯硅烷提纯工序宜选择运行稳定、故障率低、密封好的泵，应设置备用机。

5.3.5 精馏控制方式应根据产品采出位置、进料方式、塔内温度和压力变化确定。可采用精馏段指标控制、提馏段指标控制或压力控制。

5.4 三氯氢硅氢还原

5.4.1 太阳能级多晶硅还原电耗应符合国家有关光伏制造行业规范条件的要求。

5.4.2 还原炉供料系统应接近或紧靠还原车间布置。

5.4.3 还原炉室应根据炉型的大小设置吊装行车,并宜配备专有的拆卸硅棒工具。

5.4.4 热能回收利用装置应根据生产工艺系统的特性,回收还原炉内硅棒的辐射热量。

5.4.5 生产太阳能级多晶硅的还原炉室应采用不低于三级过滤的洁净新风,生产半导体级多晶硅的还原炉室洁净度应大于8级。

5.4.6 主工艺物料系统和还原炉夹套冷却系统应设安全阀等安全设施。

5.5 还原尾气干法回收

5.5.1 还原尾气干法回收设计范围应包括气体压缩、氯硅烷深冷分离、氢气吸附,以及再生后气处理等单元。

5.5.2 还原尾气除尘工序宜在前端增加过滤器或采用其他解决尾气中无定形硅的技术。

5.5.3 氯硅烷分离工序宜采用高压深冷方式回收氯硅烷,并宜采用高压低温吸收、低压高温解析方式回收氯化氢。

5.5.4 还原尾气干法回收工序布置宜符合下列规定:

1 宜临近还原车间布置;

2 还原尾气干法回收工序的气体压缩系统、氯硅烷深冷分离、吸附提纯氢系统宜独立设置于敞开或半敞开式的构筑物内,制冷系统宜布置于密闭建筑物内;附属辅助系统宜在满足防火间距的基础上毗连布置。

5.5.5 还原尾气干法回收工序的主要设备选型应符合下列规定:

1 各系统内的设备能力应互相匹配，并应保证生产的连续性；

2 氢气压缩机应选择密封性好、噪声小、故障率低、低电耗的机型，宜设置备用机；

3 宜选用运行稳定、故障率低、密封好的泵，应设置备用机。

5.6 硅芯制备及多晶硅产品后处理

5.6.1 硅芯制备工艺可采用区熔法拉制和切割法。工艺路线选择应根据硅芯生产规模、能源价格等情况，经技术经济分析比较后确定。

5.6.2 采用区熔法拉制硅芯应设置电磁屏蔽。

5.6.3 硅芯制备的房间应设置在洁净区内。

5.6.4 多晶硅后处理应包括产品运输、破碎、分拣、包装、腐蚀清洗等工序，其中运输、破碎、分拣、包装工序应符合下列规定：

1 硅棒破碎系统的位置应根据运输硅棒路径、中间仓库位置及厂房工艺布置确定，并应靠近还原车间；

2 硅棒运输车内衬板宜采用耐磨、不吸尘的非金属材料；

3 硅棒破碎方式应根据生产规模、物料性能和产品粒度确定，可采用人工破碎或机械破碎；

4 破碎工具与产品接触部分，应选用硬度大和强度高的材料；

5 破碎系统应设置除尘装置；

6 破碎粒度应符合现行国家标准《硅多晶》GB/T 12963 和《太阳能级多晶硅》GB/T 25074 有关块状多晶硅的尺寸范围要求；

7 破碎、分拣、包装应设置在洁净区内。

5.6.5 腐蚀清洗工序应符合下列规定：

1 腐蚀清洗应设置在洁净区内；

2 腐蚀清洗室内应设置单独的物料进出口，并应与人员出入口分开；

3 供酸室应与腐蚀清洗室分开布置，供酸室应布置在便于酸桶运输的地方，并应采取防护措施；

4 腐蚀清洗设备内酸腐蚀部位应设置强制排风，废气应处理达标后再排放；

5 输送强酸的管道应采用双层套管，外层宜采用透明聚氯乙烯(PVC)管。

5.7 分析检测

5.7.1 多晶硅工厂应设置单独的分析检测室，并宜在四氯化硅氢化、还原尾气干法回收、三废处理站等装置区内设置在线分析装置。

5.7.2 分析检测室不应与甲、乙类房间布置在同一防火分区内，可独立设置于一侧。

5.7.3 分析检测应包括下列内容：

1 氯硅烷的含量、杂质、含碳化合物分析；

2 硅粉的含量、杂质、粒度、碳含量分析；

3 液氩中氧、氮含量分析；

4 液氮中氧含量的分析，氮气中氢含量、氧含量和露点分析；

5 氢气中氧含量、氮含量、氯硅烷含量、露点分析；

6 水中氯离子(Cl^-)、氟离子(F^-)、化学含氧量(COD)、生化需氧量(BOD)、酸碱度(pH 值)、硬度、全碱度、悬浮物、总磷、正磷分析；

7 大气中氯化氢、氟化物、氮氧化物分析；

8 多晶硅质量指标分析，指标分析包括多晶硅的导电类型、电阻率、少子寿命、氧含量、碳含量、表面金属杂质含量、体金属杂质含量的分析；

9 合成原料氯化氢的纯度分析；

10 液氯中三氯化氮、水含量分析。

5.7.4 分析检测室中除化学分析外，其他分析检测室应设置在洁净区。

6 电气及自动化

6.1 电 气

6.1.1 供配电系统设计应符合下列规定：

1 应根据多晶硅工厂特点、规模和发展规划设计；

2 设计方案应依据多晶硅生产规模、负荷性质、用电容量及供电条件确定；

3 应采用高效、节能、环保、安全、性能先进的电气产品。

6.1.2 负荷分级及供电要求应符合下列规定：

1 多晶硅工厂的双回路供电要求应符合现行国家标准《供配电系统设计规范》GB 50052 的规定。

2 负荷分级及供电要求应符合现行国家标准《供配电系统设计规范》GB 50052 的规定。

3 还原装置中还原炉电极、炉体及底盘冷却循环水泵、冷氢化装置的洗涤塔循环泵、整理装置的废气洗涤系统、工艺废气洗涤循环泵、消防系统等用电负荷应属于一级负荷中的特别重要负荷；工艺采取其他措施时，可按现行国家标准《供配电系统设计规范》GB 50052 的规定确定负荷等级。

4 宜采用下列电源之一作为多晶硅工厂的应急电源：

1)供电网络中独立于正常电源的专用馈电线路宜采用10kV 系统电源；

2)柴油发电机。

6.1.3 电源电压选择及供电系统应符合下列规定：

1 供电电压应根据多晶硅生产规模、当地公共电网现状及发展规划确定。

2 变、配电所位置应根据负荷的容量及总图布置情况靠近负荷中心，且总变电所宜靠近还原车间。

3 装置一级的配电电压宜采用10kV，低压配电电压应采用220V/380V。总变电所归用户管理时，还原变压器宜由二级10kV配电站或总变电所直供。

4 供配电系统宜采取滤波等方式抑制高次谐波，并宜符合现行国家标准《电能质量　公用电网谐波》GB/T 14549的规定。

5 还原调功设备宜采用多种电压等级、叠层控制原理。

6 供配电系统应减少无功损耗，宜采用高压与低压补偿相结合及集中补偿与就地补偿相结合的无功补偿方式。企业计费处最大负荷时的功率因数不应低于0.90。

7 低压系统接地形式宜采用TN-S或TN-C-S系统。

8 消防负荷供配电设计应按现行国家标准《建筑设计防火规范》GB 50016和《石油化工企业设计防火规范》GB 50160的规定执行。

9 应急电源与正常电源之间必须采取防止并列运行的措施。

10 还原炉整流变压器和调功电气设备应为还原炉的专用成套设备，不属于车间变、配电所的设备，可布置在还原车间的非防爆区域内。

11 还原炉成套调压变压器宜为环氧树脂绝缘的干式变压器。

6.1.4 环境特性及配电设备选型应符合下列规定：

1 爆炸危险区域划分应根据工艺装置特点确定，并应符合现行国家标准《爆炸危险环境电力装置设计规范》GB 50058的有关规定。爆炸危险环境内的电力设备选择应按现行国家标准《爆炸危险环境电力装置设计规范》GB 50058的有关规定执行。

2 有洁净要求且为防爆区域的生产车间内，宜选择不易积尘、便于擦拭的防爆配电设备。

6.1.5 照明系统应符合下列规定：

1 照明设计应按国家现行标准《建筑照明设计标准》GB

50034 和《石油化工企业照度设计标准》SH/T 3027 的有关规定执行。

2 生产装置应设照明配电箱、照明灯具和插座。

3 工作照明灯具应按环境条件、厂房结构及生产装置条件选型和配置，光源可选用荧光灯、金卤灯等，并应满足照度要求；洁净室内的照明光源宜采用高效荧光灯。

4 应急照明灯具的选择和布置应根据环境条件、生产要求及安全要求确定，并应采用应急电源供电或选择带蓄电池的应急灯。

5 厂区道路应设立柱式路灯。路灯照明宜采用节电装置供电，宜采用光电、时间自动控制及手动控制。

6.1.6 防雷及接地系统可由电气系统工作接地、设备接地、静电接地、防雷保护接地组成，应符合下列规定：

1 变电所内的配电变压器低压侧 380/220V 的中性点应直接接地，接地电阻不应超过 4 Ω。

2 电气设备外露可导电部分和电缆铠装层均应可靠接地，电缆桥架应可靠接地，工艺设备应可靠接地。

3 对爆炸、火灾危险场所内可能产生静电危险的设备和管道应采取静电接地措施，每组专设的静电接地体的接地电阻值应小于 100 Ω。

4 建(构)筑物应按现行国家标准《建筑物防雷设计规范》GB 50057 的规定采取防雷保护措施，防雷接地装置的接地电阻应符合现行国家标准《建筑物防雷设计规范》GB 50057 的有关规定。

5 变压器中性点接地、防静电接地、设备接地、防雷接地等共用接地装置时，总接地电阻不应大于 4 Ω；工作接地、保护接地、防雷接地与电子信息系统接地共用接地方式时，接地电阻不应大于 1 Ω。

6.2 自 动 化

6.2.1 仪表和控制系统选型应符合下列规定：

1 分散型控制系统(DCS)及相关设备选型应符合国家现行标准《石油化工分散控制系统设计规范》SH/T 3092、《分散型控制系统工程设计规范》HG/T 20573 及《石油化工安全仪表系统设计规范》GB 50770 的有关规定；

2 分散型控制系统(DCS)、安全仪表系统(SIS)、安全栅等设备宜由分散型控制系统(DCS)供货商统一提供；

3 多晶硅工厂的罐区、还原炉室等场合应设置工业电视监控系统；

4 自控仪表选型应符合现行行业标准《石油化工自动化仪表选型设计规范》SH 3005、《自动化仪表选型设计规范》HG/T 20507 的有关规定。

6.2.2 温度仪表选型应符合下列规定：

1 温度刻度应采用直读式，温度仪表正常使用温度应为量程的 50%～70%，最高测量值不应超过量程的 90%。

2 就地温度指示仪表宜选用带外保护套管的万向型双金属温度计。温度宜为－80℃～500℃，刻度盘直径宜为 100mm。

3 集中检测温度仪表选型应符合下列规定：

1)－200℃～500℃的介质宜选用 Pt100 热电阻或一体化温度变送器；

2)超出 500℃的介质宜选用 K 型热电偶或电偶型一体化温度变送器，热电偶的允差等级应为Ⅰ级；

3)温度套管的材质应按介质的特性选择，用于测量硅粉介质的温度计套管宜选用耐磨材料，测温元件的接线盒宜为不锈钢；

4)还原炉内、中、外硅芯(棒)的温度测量仪表宜采用高温红外测温仪，且宜选用双色红外测温仪。

6.2.3 压力仪表的选型应符合下列规定：

1 测量稳定压力时，正常操作压力应为量程的 1/3～2/3；测量脉冲压力时，正常操作压力应为量程的 1/3～1/2；测量压力高于4.0MPa时，正常操作压力应为量程的1/3～3/5。

2 就地压力仪表宜选用不锈钢型弹簧管压力表，并宜径向无边，刻度盘直径宜选用100mm；精度宜选用1.5级，精密测量和校验用压力表的精确度宜为0.4级、0.25级或0.16级。弹簧管压力表受压检测元件宜选用不锈钢材质。

3 特殊介质的压力测量仪表选型应符合下列规定：

1) 微压测量宜采用膜盒压力表或差压压力表；

2) 氯硅烷介质宜采用隔膜式压力表；

3) 氧气应选用氧气压力表；

4) 黏稠、易结晶、含有固体颗粒或腐蚀性的介质应选用隔膜压力表或膜片压力表，隔膜或膜片的材质应根据测量介质的特性选择；

5) 安装于振动场所或振动部位时，宜选用不锈钢耐振压力表；

6) 安装在爆破片后的压力表宜采用带有记忆功能的压力表；

7) 测量硅粉压力应采取防堵措施。

4 压力和差压变送器的选型应符合下列规定：

1) 采用标准信号传输时，可选用压力和差压变送器，精度不应低于±0.075%；也可选用法兰隔膜式压力变送器，精度不应低于±0.2%。

2) 微压、负压测量宜选用绝对压力变送器及差压变送器。

3) 黏稠、易结晶、含有固体颗粒或腐蚀性的介质应选用法兰隔膜式压力和差压变送器；当采取灌隔离液、吹气或冲洗液等措施时，宜选用一般的压力和差压变送器。

4) 对于易冷凝、结晶的仪表，宜采用法兰隔膜式压力和差压变送器。

6.2.4 流量仪表的选型应符合下列规定：

1 流量仪表的最大流量刻度读数不应超过90%，正常流量的刻度读数宜为 50％～70％，最小流量的线性刻度读数不应小于 10％，最小流量的方根刻度读数不应小于 30％；

2 循环冷却水宜选用电磁流量计，但测量脱盐水及超纯水的流量时，不应使用电磁流量计；

3 含有杂质或硅粉的氯硅烷宜选用靶式流量计；

4 还原炉氢气进料流量控制仪表宜选择精度不小于±0.5％且大量程比的控制仪表，并宜具有温、压补偿和控制程序组态功能，不宜使用科氏力质量流量计及对工艺管道过多缩径；

5 氯硅烷介质的流量仪表宜选用质量流量计、靶式流量计、可变面积流量计、容积式流量计。差压式流量仪表宜用于其他介质。

6.2.5 液位仪表的选型应符合下列规定：

1 就地指示的液位测量宜选用磁性浮子液位计，磁性浮子液位计的选型应符合下列规定：

1) 测量黏度高于 600mPa·s 的介质不宜使用磁性浮子液位计；

2) 最大长度不宜大于 4000mm；

3) 当介质密度 400kg/m^3～2000kg/m^3 时，介质密度差应大于 150kg/m^3；

4) 易冻、易凝介质应选用电伴热；

5) 低温介质应选用防霜式仪表。

2 远传指示液位仪表的选型应符合下列规定：

1) 宜采用差压变送器或双法兰差压变送器，当差压变送器不能满足最小或最大量程要求时，可选用雷达、磁致等形式的液位变送器；

2) 含固体颗粒介质的液位测量应采用超声波液位计、导波雷达液位计或放射性料位仪计；

3) 罐区液位测量宜采用带有现场就地指示仪表的雷达或伺服液位计，用于控制或控制室监视的液位仪表精度不应低于±3mm;用于计量的液位仪表精度不应低于±1mm。

3 液(界)位开关宜选用外浮筒液位开关或音叉液位开关。

6.2.6 压力、差压、流量、液位变送器宜选用智能变送器。变送器应符合下列规定:

1 外壳材料宜为不锈钢;接液材质应根据介质选择,但不应低于316SS。

2 现场指示表头宜为数字液晶表头,环境温度低于-20℃时宜采用发光二极管(LED)表头。

3 安装支架宜采用碳钢,在腐蚀环境下可采用不锈钢。

4 需要配二阀组或三阀组的变送器应成套提供。

6.2.7 调节阀的选型应符合下列规定:

1 泄漏量小、阀前后压差较小的场合宜选用单座调节阀;

2 泄漏量要求不严、阀前后压差大的场合宜选用双座调节阀;

3 阀前后压差较大、介质不含固体颗粒的场合宜选用套筒调节阀;

4 高压差调节阀宜采用角型调节阀;

5 对调节精度要求不高、无气源的场合可选用自力式调节阀;

6 含有固体介质的场合应选用陶瓷滑板阀、耐磨球阀或盘阀等耐磨阀。

6.2.8 可燃、有毒气体检测仪表设计及选型应符合现行国家标准《石油化工可燃气体和有毒气体检测报警设计规范》GB 50493的有关规定,并应符合下列规定:

1 对于氯硅烷的泄漏检测宜选用氯化氢有毒气体检测器;

2 可燃气体、有毒气体检测报警系统宜独立设置;

3 报警信号必须发送至现场报警器和有人值守的控制室或现场操作室的指示报警设备,并必须进行声光报警;

4 便携式可燃气体或有毒气体检测报警器的配备,应根据生产装置的场地条件、工艺介质的易燃易爆及毒性和操作人员数量等确定。

6.2.9 分析仪表选型应符合下列规定：

1 分析仪表应根据工艺要求和控制技术选择。

2 样品预处理系统应根据样品的可燃性、与水反应、样品有毒的特点进行设计。样品预处理系统应配置氮气吹扫系统和干燥器。

3 色谱的大气平衡阀(SSO 阀)应采用哈氏 C 材质。色谱样品阀驱动气应采用氮气。

6.2.10 控制室的设置应符合下列规定：

1 中心控制室内应设有操作员间、机柜间、工程师站间、维修间、不间断电源(UPS)间、空调室及管理和生活设施，并应符合现行行业标准《石油化工控制室设计规范》SH/T 3006 和《控制室设计规定》HG/T 20508 的有关规定；

2 控制室室内温度，冬季宜保持在 18℃～20℃，夏季宜保持在 25℃～30℃，相对湿度宜保持在 40%～70%；

3 公用工程装置宜设就地控制室，控制室内宜设独立的不间断电源(UPS)，与主装置相关的工艺参数可通信至中心控制室；

4 还原工段为易燃、易爆且需要操作人员进行现场监控和操作的区域，可在还原车间现场设置防爆屏进行监控。

6.2.11 仪表电源、接地、气源、热源应符合下列规定：

1 在中心控制室及就地控制室设置不间断电源(UPS)电源时，使用时间不应小于 30min；仪表及控制系统供电设计应按现行行业标准《石油化工仪表供电设计规范》SH/T 3082 和《仪表供电设计规定》HG/T 20509 的有关规定执行。

2 仪表接地系统可包括保护接地和工作接地，工作接地可包括信号回路接地、屏蔽接地、本质安全仪表系统接地；采用等电位连接的原则，接地电阻应符合有关分散型控制系统(DCS)厂商的要求。仪表接地设计应按现行行业标准《石油化工仪表接地设计规范》SH/T 3081和《仪表系统接地设计规范》HG/T 20513的有关规定执行。

3 仪表气源应采用净化空气，仪表进口空气压力不应小于0.6MPa，空气压缩机出口空气压力不宜小于0.7MPa，露点温度应低于当地最低极端温度10℃。仪表供气设计应符合现行行业标准《石油化工仪表供气设计规范》SH/T 3020和《仪表供气设计规定》HG/T 20510的有关规定。

4 仪表伴热应采用电伴热或蒸汽伴热形式，并应符合现行行业标准《石油化工仪表及管道伴热和绝热设计规范》SH/T 3126和《仪表及管线伴热和绝热保温设计规范》HG/T 20514的有关规定。

7 辅助设施

7.1 压缩空气站

7.1.1 压缩空气站设计应满足工艺和仪表用气要求，并应符合现行国家标准《工业自动化仪表气源压力范围和质量》GB 4830 和《压缩空气站设计规范》GB 50029 的有关规定。

7.1.2 空气压缩机的吸风口应位于空气洁净处，应在厂区有害气体和固体尘埃释放源的全年最小频率风向的下风侧。

7.1.3 空气压缩机的选型和台数应根据各车间用气量、自身用气量、压力要求，以及气路系统损耗确定，并应设置备用机组或可替代气源。空气压缩机应选用效率高、低噪声的节能机型。

7.2 制 氮 站

7.2.1 制氮站可与压缩空气站设置在同一建筑物内，也可靠近压缩空气站；制氮用的压缩空气与作为仪表气源的压缩空气可由同个机组产出，也可分机组独立产出。

7.2.2 氮气质量应符合下列规定：

1 压力应大于或等于 0.7MPa；

2 氮气纯度应大于或等于 99.999%；

3 露点应小于或等于－65℃。

7.2.3 制氮站供气量应包含工艺生产系统置换用气、保护用气及管网损耗的总用量，并应大于生产事故的最大用量。

7.2.4 制氮站的液氮储存量应根据制氮机组事故状况下恢复正常产气的时间确定，应保证主生产系统的安全用量。

7.2.5 制氮系统应具有自动调节气量功能，并应根据用气需求降低或提高产气负荷。

7.3 制 氢 站

7.3.1 制氢站设计应符合现行国家标准《氢气站设计规范》GB 50177 的有关规定,并应独立设置。

7.3.2 制氢工艺路线选择应根据所在地区原料储备、原料价格、能源结构、能源价格等情况,经技术经济分析比较后确定,并应选择安全可靠、环保的节能设备。

7.3.3 氢气纯度应大于99.999%,露点应小于—65℃。

7.4 导 热 油

7.4.1 导热油产品型号应根据最高使用温度、价格及使用寿命技术经济比较后确定。

7.4.2 导热油加热系统设计应符合现行行业标准《导热油加热炉系统规范》SY/T 0524 的有关规定,并应靠近主要的负荷中心区,管线布置应短捷。

7.4.3 厂区管网宜架空敷设,管道宜利用自然弯曲补偿管道热伸长。

7.5 纯 水 制 备

7.5.1 硅芯、石墨件及硅料清洗应采用纯水。

7.5.2 纯水站位置应满足工艺总体布局的要求,并应就近用水设备布置。

7.5.3 纯水水质指标不应低于表7.5.3的规定。

表7.5.3 纯水水质指标

序号	参 数	指 标
1	线宽(μm)	1.0~0.5
2	电阻率,25℃(在线)(MΩ)	18.1
3	总有机碳(TOC)(在线,<10ppb)(μg/L)	5
4	在线检测溶解氧(μg/L)	25

续表 7.5.3

序号	参数			指标
5	在线检测蒸发残留物(μg/L)			1
6	在线检测颗粒(个/L)		0.05μm～0.1μm	—
			0.1μm～0.2μm	1000
			0.2μm～0.5μm	500
			0.5μm～1.0μm	200
			1.0μm	<100
7	扫描电镜检测颗粒(个/L)		0.1μm～0.2μm	1000
			0.2μm～0.5μm	500
			0.5μm～1μm	100
			10μm	<50
8	细菌	cfu/100mL	100mL 取样	5
		cfu/L	1L 取样	—
9	总二氧化硅(μg/L)			5
10	可溶性二氧化硅(μg/L)			3
11	铵(μg/L)			0.10
12	溴化物(μg/L)			0.10
13	氯化物(μg/L)			0.10
14	氟化物(μg/L)			0.10
15	硝酸盐(μg/L)			0.10
16	亚硝酸盐(μg/L)			0.10
17	磷酸盐(μg/L)			0.10
18	硫酸盐(μg/L)			0.10
19	铝(μg/L)			0.05
20	钡(μg/L)			0.05
21	硼(μg/L)			0.30

续表 7.5.3

序号	参　数	指　标
22	钙(μg/L)	0.05
23	铬(μg/L)	0.05
24	铜(μg/L)	0.05
25	铁(μg/L)	0.05
26	铅(μg/L)	0.05
27	锂(μg/L)	0.05
28	镁(μg/L)	0.05
29	锰(μg/L)	0.05
30	镍(μg/L)	0.05
31	钾(μg/L)	0.05
32	钠(μg/L)	0.05
33	锶(μg/L)	0.05
34	锌(μg/L)	0.05

注:表中第 11 项～第 34 项采用电感耦合等离子体质谱(ICP/MS)检测。

7.5.4 纯水储存和分配应符合下列规定:

1 纯水储存罐体和输送管道材料应满足生产工艺的水质要求,宜选择洁净聚氯乙烯管(Clean-PVC)、聚偏二氟乙烯管(PVDF)等管材,管道附件与阀门等应采用与管道相同的材质。

2 纯水输送管道系统应采用循环方式。设计和安装时,不应出现使水滞留和不易清洁的部位。循环干管的流速宜大于1.5m/s,不循环的支管长度不应大于管径的 6 倍。

3 纯水储罐和输送系统应设置清洗系统。

7.5.5 纯水制备、储存和分配应符合现行国家标准《电子工业纯水系统设计规范》GB 50685 的有关规定。

7.6 制　冷

7.6.1 工艺生产用冷要求低于－30℃时，宜采用直接蒸发式制冷系统。

7.6.2 工艺生产等系统所需的冷冻站宜集中设置，并应临近负荷中心布置。

7.6.3 冷冻系统设计宜采用闭式循环系统。

7.6.4 采用乙二醇作为载冷剂时，乙二醇水溶液储罐容积应满足系统停车时系统内部乙二醇水溶液的储存要求，受场地限制时，应设置临时储罐。

7.7 蒸　汽

7.7.1 蒸汽源选择应符合下列规定：

1 蒸汽源选择应根据生产规模、热负荷及所在地区的能源结构、政策等因素综合论证确定；

2 应利用工厂周边已有的热电厂或区域供热站等蒸汽系统，当外部汽源不能满足所需热负荷时，应自建锅炉房供汽。

7.7.2 锅炉房设计应符合现行国家标准《锅炉房设计规范》GB 50041的有关规定，并应符合下列规定：

1 宜采用燃气、燃油锅炉；环境许可时，可采用燃煤锅炉；锅炉选用应符合环保要求。

2 宜选用饱和蒸汽锅炉。

3 锅炉容量和数量应适应热负荷变化，数量不应少于2台，且不宜超过5台，可设置备用锅炉。

4 锅炉宜选用相同型号。

5 锅炉房应留有扩建场地。

7.7.3 蒸汽压力的确定应符合下列规定：

1 应在满足用户需要的前提下选择供汽压力；

2 应根据生产工艺和空气调节用汽情况选择蒸汽管网输送

压力，全厂蒸汽管网压力等级不宜多于3个等级；

3 蒸汽减温减压系统宜集中设置，应满足工艺装置开车时的用汽负荷要求；

4 减压阀后应设置安全阀。

7.7.4 蒸汽系统设计应符合下列规定：

1 用汽设备进口或蒸汽系统总管宜设置蒸汽计量装置；

2 全厂蒸汽冷凝水宜回收利用。

8 建筑结构

8.1 一般规定

8.1.1 建(构)筑物的火灾危险性分类、耐火等级不应低于表8.1.1的规定。

表8.1.1 建(构)筑物的火灾危险性分类、耐火等级

建(构)筑物名称	火灾危险性分类	耐火等级
制氢站	甲	二级
氢化厂房	甲	二级
三氯氢硅合成厂房	甲	二级
精馏装置	甲	二级
还原厂房	甲	二级
整理厂房	丙	二级
还原尾气干法回收装置	甲	二级
工艺废料废液处理	甲	二级
综合维修厂房	丁	二级
综合仓库	丙、丁	二级
压缩空气站	戊	二级
制氮站	戊	二级
冷冻站	戊	二级
脱盐水站	戊	二级
变电所	丙	二级
浸油变压器室	丙	一级
生产、生活水加压站	戊	二级
中央控制室	丁	一级

续表 8.1.1

建(构)筑物名称	火灾危险性分类	耐火等级
循环水站	戊	二级
污水处理站	戊	二级
硅粉库	丙	二级
化学品库	甲、乙、丙	二级
三氯氢硅罐区	甲	二级
泡沫站	戊	二级
锅炉房	丁	二级

8.1.2 多晶硅工厂建(构)筑物之间的最小间距应符合现行国家标准《建筑设计防火规范》GB 50016 的有关规定,露天工艺装置与建(构)筑物之间的最小间距应符合现行国家标准《石油化工企业设计防火规范》GB 50160 的有关规定。

8.1.3 有爆炸危险的甲、乙类火险设备宜露天或半露天布置,但有工艺洁净要求或有防冻、防风沙限制的设备可设在厂房建筑内,爆炸危险区范围的划分应按现行国家标准《爆炸危险环境电力装置设计规范》GB 50058 的有关规定执行。有爆炸危险的甲、乙类厂房泄压面积的设置应按现行国家标准《建筑设计防火规范》GB 50016 的有关规定执行,并应对人员安全疏散采取防护措施。

8.1.4 厂房、仓库的防火分区应符合下列规定:

1 厂房、仓库的防火分区应符合现行国家标准《建筑设计防火规范》GB 50016 的规定。

2 甲、乙、丙类多层厂房内各层由不同功能房间组成时,宜按层划分防火分区,疏散楼梯应采用封闭楼梯间或室外楼梯。封闭楼梯间的设计应按现行国家标准《建筑设计防火规范》GB 50016 的规定执行,封闭楼梯间的门应为乙级防火门,门应向疏散方向开启,双扇门应具备顺序启闭功能;室外楼梯的设计应按现行国家标准《建筑设计防火规范》GB 50016 的有关规定执行。

8.1.5 厂房和露天装置中操作人员和建筑的安全卫生设计应符

合国家现行有关工业企业设计卫生标准的规定，工艺装置还应符合现行行业标准《石油化工企业职业安全卫生设计规范》SH 3047 的有关规定。

8.1.6 厂房、辅助用房、公用工程等建筑内装修设计应按现行国家标准《建筑内部装修设计防火规范》GB 50222 的有关规定执行。

8.2 主要生产厂房和辅助用房

8.2.1 还原厂房及辅助设施的布置应符合下列规定：

1 还原厂房及辅助设施宜采用钢筋混凝土结构或钢结构，耐火等级不应低于二级。

2 还原炉室为甲类火险且有防爆要求时，厂房内不应设置办公室、休息室。其他辅助房及卫生间等需要布置时，必须布置在还原炉室端墙贴邻一侧，并应采用耐火极限不低于 3.0h 的不燃体防爆防护墙与还原炉室分隔。当防爆防护墙兼作防火墙时，耐火极限应为 4.0h。

3 变压器室、调功器室、高压启动室、炉体清洗检修间、炉体冷却水系统等辅助房间，应与还原炉室布置在不同的隔间或防火分区内，并必须用防火墙、防爆防护墙、防火楼板分隔，平面布置应符合现行国家标准《建筑设计防火规范》GB 50016 的有关规定；还原炉室墙外侧有汇流排等易燃易爆设施时，应设置具有防爆防护功能的半高隔墙。

4 人员进入还原厂房宜经过净化室。人员净化室布置在厂房山墙一侧时，应用防爆防护墙与还原炉室分隔。

5 还原厂房应采用封闭楼梯间，直通还原炉室的封闭楼梯间应设置具有防爆防护功能的前室。

6 还原厂房的楼梯间布置及疏散距离应符合现行国家标准《建筑设计防火规范》GB 50016 的有关规定。疏散梯设为室外楼梯时，应按现行国家标准《建筑设计防火规范》GB 50016 的有关规定执行。

7 还原炉室应按检修需要布置设备检修平台和钢梯，钢梯净宽不应小于 700mm，坡度不宜大于 45°。

8 还原厂房的管道夹层应采用敞开或半敞开式布置，顶棚应采取防止气体积聚的措施，设置吊顶时，吊顶应平整、密封、不留死角，多雨地区应采取挡雨措施。

8.2.2 整理厂房布置应符合下列规定：

1 整理厂房宜采用钢筋混凝土结构或钢框架结构，耐火等级不应低于二级，防火分区、安全疏散口布置及疏散距离均应符合现行国家标准《建筑设计防火规范》GB 50016 的有关规定。

2 应合理布置洁净区、普通生产区及辅助房间，在洁净区内人流路线应避免往复交叉。厂房内货运电梯前应布置缓冲间，宽度应与电梯井道相同，进深不应小于 3m。

8.2.3 还原厂房与整理厂房连廊布置应遵循合理、方便、安全的原则，并应符合现行国家标准《建筑设计防火规范》GB 50016 的规定。连廊的空气洁净度要求应符合本规范第 8.4.1 条第 1 款的规定。

8.2.4 厂房内洁净区的人员净化室和物料净化室设置应符合现行国家标准《洁净厂房设计规范》GB 50073 的有关规定，更衣室、卫生间设置应符合国家现行有关工业企业设计卫生标准的规定。

8.2.5 辅助用房设计应符合下列规定：

1 变电所设计应符合现行国家标准《建筑设计防火规范》GB 50016 和《火力发电厂与变电站设计防火规范》GB 50229 的有关规定。

2 全厂性的中央控制室宜独立设置，与其他建(构)筑物的防火间距应符合现行国家标准《建筑设计防火规范》GB 50016 的有关规定。

3 中央控制室同其他建筑合建时应划分成独立的防火分区。当合建的建筑位于爆炸危险区内时，应采取防爆防护措施，建筑的安全出口不应直接面对有爆炸危险的装置。

4　压缩空气站、制氮站设计应符合现行行业标准《压缩机厂房建筑设计规定》HG/T 20673 的有关规定。

5　制氢站、循环水站、工艺废料废液处理、污水处理站、脱盐水站、锅炉房、综合仓库、综合维修厂房、硅粉库、化学品库、泡沫站等辅助用房的防火设计，应符合现行国家标准《建筑设计防火规范》GB 50016 的有关规定。

8.2.6　装置框架、构筑物设计应符合下列规定：

1　氢化厂房、精馏装置、还原尾气干法回收装置等甲类火险等级的装置框架，宜采用钢筋混凝土框架结构；在受施工等条件限制时，可采用钢结构框架，耐火等级不应低于二级，钢结构应采取耐火保护和防腐蚀处理。

2　露天装置的钢结构框架耐火保护应符合现行国家标准《石油化工企业设计防火规范》GB 50160 的有关规定。

3　甲类原料罐区防火堤设计应符合现行国家标准《储罐区防火堤设计规范》GB 50351 的有关规定。储存有毒性液体罐区应按现行行业标准《石油化工企业职业安全卫生设计规范》SH 3047 的要求对堤内地坪、排水沟、集水坑等采取防漏措施。

8.3　防火、防爆

8.3.1　还原、整理厂房的防火、防爆设计应符合下列规定：

1　厂房防火分区及疏散口布置及疏散距离应符合现行国家标准《建筑设计防火规范》GB 50016 的有关规定。

2　还原炉室应采用泄爆墙及带有通风设施的泄压屋面，在外墙设置泄压面时应对室外贴邻的汇流排等易燃易爆设施设置保护性的防爆防护半高隔墙。外墙与屋面泄压面积应符合下列规定：

1）泄压面积的计算应符合现行国家标准《建筑设计防火规范》GB 50016 的有关规定。

2）泄压设施应采用易于脱落的轻质屋盖、易于泄压的门和窗及轻质墙体作为泄压面积。作为泄压面积的轻质墙体

及轻质屋面板自重不得超过60kg/m²,材料的燃烧性能应为A级。

3 还原炉室防爆防护墙上开的门应为防爆门,防爆门的耐火极限不应低于0.90h,当防爆墙兼作防火墙时,防爆门的耐火极限不应低于1.20h,通向疏散通道和疏散楼梯的防爆门开启方向应朝向疏散方向。

4 厂房洁净区的防火设计应符合现行国家标准《洁净厂房设计规范》GB 50073 的有关规定。

5 还原炉室外墙和屋面泄压面积的设置宜靠近爆炸危险源。

8.3.2 制氢站防火、防爆设计应符合下列规定:

1 制氢站防火分区及疏散口布置及疏散距离应符合现行国家标准《建筑设计防火规范》GB 50016 的有关规定;

2 制氢装置房间与其他辅助房间应用防爆防护墙分隔,制氢装置房间的屋面或墙面应设置泄压面积;

3 泄压面积计算和设置要求应符合现行国家标准《建筑设计防火规范》GB 50016 的有关规定;

4 建筑结构设计应按现行国家标准《氢气站设计规范》GB 50177 的有关规定执行。

8.3.3 装置变电所防火分区、疏散口布置及疏散距离等应符合现行国家标准《建筑设计防火规范》GB 50016 和《火力发电厂与变电站设计防火规范》GB 50229 的有关规定。

8.3.4 氢化、精馏等露天装置及构筑物的防火、防爆设计应符合下列规定:

1 露天装置框架设计应符合现行国家标准《石油化工企业设计防火规范》GB 50160 的有关规定;

2 当装置框架为钢结构时,钢结构的耐火保护应符合现行国家标准《石油化工企业设计防火规范》GB 50160 的有关规定。

8.3.5 罐区的防火、防爆设计应符合下列规定:

1 甲、乙类可燃液体地上储罐的罐区设置,应符合现行国家标准《石油化工企业设计防火规范》GB 50160 的有关规定；

2 防火堤的设计应符合现行国家标准《储罐区防火堤设计规范》GB 50351 的有关规定。

8.3.6 辅助用房及公用工程的建筑防火设计应符合现行国家标准《建筑设计防火规范》GB 50016 的有关规定。

8.4 洁净设计及装修

8.4.1 还原、整理厂房洁净设计及装修应符合下列规定：

1 半导体级多晶硅还原厂房的还原炉室应按洁净厂房进行设计，空气洁净度等级不应低于 8 级。平面布置、人员净化、物流净化、室内装修应符合现行国家标准《洁净厂房设计规范》GB 50073 的有关规定。当设有通往整理厂房的连廊时，连廊的空气洁净度等级和处理方法应与还原炉室的要求一致，宜符合本规范附录 C 的规定。

2 还原炉室地面宜采用耐磨的洁净地面，当采用水磨石地面时，应采取防静电措施。墙面宜采用外贴洁净板或防静电树脂涂料。

3 整理厂房空气洁净度等级及洁净区划分应按工艺要求设置，空气洁净度不应低于 8 级。平面布置、人员净化、物流净化、室内装修，应符合现行国家标准《洁净厂房设计规范》GB 50073 的有关规定。

4 整理厂房的洁净房间地面宜采用环氧自流平地面、聚氯乙烯（PVC）膜材料或水磨石地面，地面应采取防静电措施。

8.4.2 其他建（构）筑物的地面及装修应符合下列规定：

1 厂房地面与室外自然地坪高差宜大于或等于 300mm。

2 有洁净要求的房间地面应满足工艺生产要求，地面应平整、耐磨、易清洗、不易积聚静电、避免眩光、不开裂，踢脚不应突出墙面。地面垫层宜配筋，潮湿地区应有防潮措施。

3 洁净房间的门窗、墙面、顶棚装修应符合现行国家标准《洁净厂房设计规范》GB 50073 的有关规定。

4 普通区辅助房间地面应根据使用性质和要求选用，室内装修应符合现行国家标准《建筑内部装修设计防火规范》GB 50222 的有关规定。

8.5 防 腐 蚀

8.5.1 多晶硅工厂腐蚀性介质类别的划分应符合表 8.5.1 的规定。

表 8.5.1 多晶硅工厂腐蚀性介质类别划分

<table>
<tr><th rowspan="2">装置名称</th><th rowspan="2">生产部位</th><th colspan="2">气相介质</th><th colspan="2">液相介质</th></tr>
<tr><th>介质名称</th><th>腐蚀类别</th><th>介质名称</th><th>腐蚀类别</th></tr>
<tr><td>还原厂房</td><td>还原炉</td><td>三氯氢硅</td><td rowspan="3">中</td><td>三氯氢硅</td><td rowspan="8">中</td></tr>
<tr><td>精馏装置</td><td>精馏塔，换热器和泵等</td><td rowspan="2">三氯氢硅，四氯化硅</td><td rowspan="5">三氯氢硅，四氯化硅</td></tr>
<tr><td>还原尾气干法回收装置</td><td>塔器，换热器和机泵等</td></tr>
<tr><td>三氯氢硅罐区</td><td>贮罐</td><td>—</td><td>—</td></tr>
<tr><td>氢化厂房</td><td>反应器，换热器和机泵等</td><td rowspan="2">三氯氢硅，四氯化硅</td><td rowspan="2">中</td></tr>
<tr><td>三氯氢硅合成厂房</td><td>合成炉，换热器和机泵等</td></tr>
<tr><td>整理厂房</td><td>酸洗机</td><td>—</td><td>—</td><td>氢氟酸，硝酸等</td></tr>
<tr><td>工艺废料废液处理</td><td>洗涤塔和机泵等</td><td>三氯氢硅，四氯化硅</td><td>中</td><td>盐酸</td></tr>
</table>

注：1 介质本身无腐蚀性，但遇水后生成盐酸，为强腐蚀性；

2 表中腐蚀介质的类别应按现行国家标准《工业建筑防腐蚀设计规范》GB 50046 的有关规定分类。

8.5.2 建(构)筑物防腐蚀处理应符合下列规定：

1 地面防腐蚀应符合现行国家标准《工业建筑防腐蚀设计规

范》GB 50046 的有关规定，并应符合下列规定：

1)有液态介质腐蚀的地面应以块材面层或整体面层防腐蚀为主，不经常接触液态介质腐蚀的露天装置楼面的整体面层可选择耐候性好的防腐蚀耐磨涂料，厚度不应小于0.5mm～1mm，室外环境下不得使用环氧涂料；

2)露天装置钢结构框架楼面选用钢格板时，钢格板应采用耐腐蚀的材料制作或进行防腐蚀处理，也可对钢格板楼面采取局部承接盘引流等防泄漏措施；

3)有液态介质腐蚀的底层地面排水坡度不宜小于 2%，楼层不宜小于 1%；

4)有液态介质腐蚀的地面排水沟宜采用明沟，沟宽超过300mm 时应设置耐腐蚀的箅子板或沟盖板，地沟底面的纵向坡度宜为 0.5%～1%。

2 在气态介质和固态粉尘介质作用下，墙面、顶棚、梁、板、柱等建筑构件的表面防护宜以防腐涂料为主，防腐涂料的使用情况应符合现行国家标准《工业建筑防腐蚀设计规范》GB 50046 的有关规定。

3 有液态介质腐蚀的钢筋混凝土池、槽、坑的防腐蚀应符合现行国家标准《工业建筑防腐蚀设计规范》GB 50046 的有关规定。

8.6 结构设计

8.6.1 结构设计应根据工艺布置要求、生产特性以及工程地质条件等因素，选择技术先进、经济合理、安全适用的结构设计方案。

8.6.2 多晶硅工厂建(构)筑物的设计基准期应为 50 年。

8.6.3 多晶硅工厂建(构)筑物抗震设防划分，应根据生产规模、产品性状、生产特点、社会影响、停产损失和修复难度等因素确定，并应符合现行国家标准《建筑工程抗震设防分类标准》GB 50223 的有关要求。主要生产装置建(构)筑物抗震设防类别应符合表 8.6.3 的规定。

表 8.6.3 主要生产装置建(构)筑物抗震设防类别

抗震设防类别	建(构)筑物名称
乙类	制氢站、电解厂房、液氯厂房及仓库、三氯氢硅合成厂房、氢化厂房、精馏装置、还原厂房、工艺废料废液处理、还原尾气回收装置、中央控制室、化学品库、总变电站、装置变电所、消防加压泵房、消防水池、制氮站、压缩空气站、冷冻站、锅炉房、发电机房、给水泵房、酸碱罐区、三氯氢硅罐区、重要的设备基础等
丙类	整理厂房、脱盐水站、综合维修厂房、综合仓库、深井泵房、污水处理站、管道支架
丁类	地下沟、井、围墙、临时仓库、自行车棚

注:乙类建(构)筑物应按高于当地抗震设防烈度一度采取抗震措施。

8.6.4 多晶硅厂房设计应说明结构用途,在设计使用年限内未经技术鉴定或设计许可,不得改变结构用途和使用环境。

8.6.5 设计荷载应符合下列规定:

1 建(构)筑物楼面均布活荷载标准值及其组合值、频遇值、准永久值系数应按生产实际情况确定,缺乏资料时,可按表 8.6.5 执行。

表 8.6.5 建(构)筑物楼面均布活荷载

<table>
<tr><th colspan="2">类　别</th><th>标准值(kN/m²)</th><th>组合值系数</th><th>频遇值系数</th><th>准永久值系数</th></tr>
<tr><td colspan="2">还原厂房运行层</td><td>15(20)</td><td>0.7</td><td>0.7</td><td>0.7</td></tr>
<tr><td colspan="2">还原与整理厂房之间连廊</td><td>12</td><td>0.7</td><td>0.6</td><td>0.5</td></tr>
<tr><td colspan="2">其他装置</td><td>4(4.5)</td><td>0.7</td><td>0.7</td><td>0.7</td></tr>
<tr><td colspan="2">操作平台</td><td>2(3.5)</td><td>0.7</td><td>0.7</td><td>0.6</td></tr>
<tr><td colspan="2">楼梯、走廊</td><td>3.5</td><td>0.7</td><td>0.5</td><td>0.3</td></tr>
<tr><td rowspan="3">屋面</td><td>压型钢板等轻型屋面</td><td>0.5</td><td>0.7</td><td>0.5</td><td>0</td></tr>
<tr><td>不上人屋面</td><td>0.5</td><td>0.7</td><td>0.5</td><td>0</td></tr>
<tr><td>上人屋面</td><td>2</td><td>0.7</td><td>0.5</td><td>0.4</td></tr>
<tr><td colspan="2">民用建筑</td><td colspan="4">按现行国家标准《建筑结构荷载规范》GB 50009 的有关规定执行</td></tr>
</table>

注：1 表中带括号的标准值用于设备安装、检修分部件较大时；
2 屋面用作楼面时，按楼面设计；
3 屋面活荷载不与雪荷载同时计算；
4 高低跨时，受施工影响，低跨屋面荷载可增加；
5 屋面荷载尚应计算管道等悬挂设施的作用；
6 表中所列荷载不包括隔墙自重；
7 计算地震作用时，组合值系数按现行国家标准《建筑抗震设计规范》GB 50011 的规定执行。

2 建(构)筑物的设备荷载标准值应根据设备条件确定。计算时可分解为永久荷载和可变荷载。

3 当还原厂房根据工艺专业要求设置多台吊车时，计算竖向和水平荷载参与组合的吊车台数不宜多于2台，其荷载标准值应根据吊车工作级别乘以0.9～0.95的折减系数。

4 动力设备的基础设计应按现行国家标准《动力机器基础设计规范》GB 50040的有关规定执行，各类动力设备的动力荷载及其分布位置应由设备制造厂商提供。

5 搬运、装卸设备时的动力系数可取1.1～1.2。

8.6.6 材料选择应符合下列规定：

1 材料选用应因地制宜，其性能应符合现行国家标准《工业建筑防腐蚀设计规范》GB 50046有关结构构件所处环境的要求；

2 控制室、办公室等人员集中场所的建材及外加剂选用应符合现行国家标准《民用建筑工程室内环境污染控制规范》GB 50325的有关要求。

8.6.7 建(构)筑物基础宜采用天然地基。遇有下列情况之一时，应采用人工地基：

1 天然地基的承载力或变形不能满足建(构)筑物的使用要求。

2 地基有良好的下卧层，经技术经济比较，采用人工地基比天然地基更为经济合理。

3 地震区地基存在不能满足抗液化要求的土层；当采用人工

地基时，宜对界区内进行整片处理。

4 位于湿陷性黄土、膨胀土、冻胀土、盐渍土地区的建(构)筑物，应分别符合国家现行标准《湿陷性黄土地区建筑规范》GB 50025、《膨胀土地区建筑技术规范》GB 50112、《冻土地区建筑地基基础设计规范》JGJ 118 及《盐渍土地区建筑规范》SY/T 0317 的有关规定。

8.6.8 基础埋深应满足工艺、暖通、给排水等专业地下管道的要求；位于腐蚀区域时，应符合现行国家标准《工业建筑防腐蚀设计规范》GB 50046 的有关要求。

8.6.9 多层厂房宜采用现浇钢筋混凝土框架结构或钢框架结构，单层厂房可采用门式刚架轻型钢结构或钢筋混凝土排架结构，大跨度屋盖宜采用轻型钢结构，设备基础可采用块式、墙式、箱形或框架式等结构形式。

8.6.10 结构布置应符合下列规定：

1 厂房的柱网应整齐，并应符合建筑模数；次梁布置应规则，并应受力明确；

2 厂房内的大型设备基础、独立构筑物、整体地坑等，宜与厂房柱基础分开设置；

3 与厂房毗邻的建筑物，宜用伸缩缝与厂房分开设置；

4 在高压缩性软土地基上的厂房，建筑物室内地面或附近有大面积堆料时，应计算堆料对建筑物基础的影响，并应对差异沉降采取措施；

5 建(构)筑物沉降观测点设置应符合现行行业标准《建筑变形测量规范》JGJ 8 的有关规定，并应按现行行业标准《建筑变形测量规范》JGJ 8 的有关规定进行变形观测。

8.6.11 结构计算应符合下列规定：

1 结构计算时应进行整体作用效应分析，对结构中受力状况特殊部位尚应进行更详细的分析；

2 采用等效均布活荷载计算的生产厂房，宜采用普通结构力学方法计算板、梁、柱的内力。

8.6.12 构造要求应符合下列规定：

1 混凝土结构梁、板、柱钢筋保护层厚度应按现行国家标准《混凝土结构设计规范》GB 50010 的相应环境类别取值。对腐蚀环境，应符合现行国家标准《工业建筑防腐蚀设计规范》GB 50046 的规定。构件的混凝土保护层厚度应满足厂房相应防火等级的耐火极限要求。

2 设备基础周边宜配置抗裂钢筋。基础顶面宜预留30mm～50mm 厚度的找平层，宜采用水泥基灌浆材料二次浇灌。

3 设备基础的地脚螺栓不应采用冷加工钢材。

4 支撑工艺及供热外管的管架、管廊应根据电气专业划分的爆炸危险区范围确定防火区域，并应采取防火措施。

9 给水、排水和消防

9.1 给 水

9.1.1 给水工程设计应符合现行国家标准《室外给水设计规范》GB 50013和《建筑给水排水设计规范》GB 50015的规定。

9.1.2 生产用水水量及水质应根据工艺要求确定；生活饮用水应符合现行国家标准《生活饮用水卫生标准》GB 5749的水质要求，用水标准及定额应符合现行国家标准《建筑给水排水设计规范》GB 50015的有关规定。

9.1.3 可能发生物料泄漏的装置区及储罐区必须设置紧急淋浴器和洗眼器。

9.1.4 水源选择时，建设单位应对水资源进行勘察，并应提供可开采水量及水质的全分析资料；水源为地表水时，应按水体保证率为95%的可取水量对河道的影响进行论证。

9.1.5 当采用地下水为水源时，采用管井取水应设置备用水源井，备用井的数量宜为取水井数量的20%，但不得少于1口井。

9.1.6 水资源应实现综合回收利用，全厂水重复利用率应大于或等于95%。

9.1.7 当给水管道穿越厂房洁净区时，应满足现行国家标准《洁净厂房设计规范》GB 50073的有关规定。

9.2 排 水

9.2.1 排水工程设计应符合现行国家标准《室外排水设计规范》GB 50014和《建筑给水排水设计规范》GB 50015的有关规定。

9.2.2 室外排水系统应采用雨污分流制，前期雨水应收集处理；在缺水地区，宜设置雨水利用系统。

9.2.3 雨水管、渠设计重现期应符合现行国家标准《室外排水设计规范》GB 50014 的有关规定。

9.2.4 生产废水的排水系统应根据废水的性质、水质、水量以及废水处理工艺确定，宜采用自流方式排水。

9.2.5 厂区应设事故收集池，其容积应包括装置区露天部分雨水、事故泄漏量及事故时消防用水量。

9.2.6 高浓度含氟废液输送管宜明装敷设。架空敷设时，在管件或接口处宜采取防腐措施；管沟内敷设时，排水管支架应采取防腐处理，并应设事故排水贮存功能的措施。

9.2.7 当排水管道穿越厂房洁净区时，应符合现行国家标准《洁净厂房设计规范》GB 50073 的有关规定。

9.3 废水处理

9.3.1 废水处理应遵循节水优先、分质处理、优先回用的原则。

9.3.2 废水处理设施的位置应满足工艺总体布局要求。

9.3.3 废水处理设施应根据工艺生产排出的废水种类、浓度及水量确定，处理后的出水水质应符合国家和地方的有关排放要求。

9.3.4 **高浓度含氟废液必须采取预处理措施。**

9.3.5 距废水处理设施构筑物的 10m～50m 的区域宜设置地下水监测点。

9.4 循环冷却水系统

9.4.1 多晶硅工厂设备冷却水系统的设计应符合现行国家标准《工业循环水冷却设计规范》GB/T 50102 和《工业循环冷却水处理设计规范》GB 50050 的有关规定。

9.4.2 循环水系统应根据水温、水压、水质及设备运行要求设置，分设不同循环水系统。

9.4.3 **硅芯拉制炉、单晶炉和还原炉电极的循环水系统必须采取相应的保安措施。**

9.4.4 循环水系统应根据水质情况，合理设置水质稳定处理装置，稳定循环水水质，减少系统排污量。

9.5 消 防

9.5.1 多晶硅工厂应设置消防设施，并应符合现行国家标准《建筑设计防火规范》GB 50016、《石油化工企业设计防火规范》GB 50160 和《建筑灭火器配置设计规范》GB 50140 的有关规定。

9.5.2 多晶硅工厂装置区、储罐区必须设置独立的稳高压消防给水系统，其压力应为 0.5MPa～1.2MPa。其他场所应设置低压消防给水系统。

9.5.3 装置区、储罐区应设置固定式消防水炮，并应符合现行国家标准《固定消防炮灭火系统设计规范》GB 50338 的有关规定。

9.5.4 储罐区应配置灭火毯及灭火砂，灭火毯的数量不应少于 2 块，灭火砂的数量不应少于 $2m^3$。

9.5.5 全厂分散型控制系统(DCS)机柜室应设置气体灭火系统，并应符合现行国家标准《气体灭火系统设计规范》GB 50370 的有关规定。

9.5.6 厂房的洁净区内不宜采用干粉灭火器。

10 采暖、通风与空气调节

10.1 一般规定

10.1.1 采暖、通风、空调与空气净化系统设计应满足生产工艺对生产环境的要求，主要建筑物空气洁净度、温度、湿度的设计要求宜符合本规范附录C的规定。

10.1.2 8级以上洁净室（区）不应采用散热器采暖，其他厂房或房间的采暖系统设置应符合现行国家标准《采暖通风与空气调节设计规范》GB 50019的有关规定。

10.1.3 严寒地区还原车间的管道夹层采用热风采暖时，不应回风。

10.2 通　　风

10.2.1 通风系统设置应满足生产工艺、劳动卫生、人员安全以及环境保护等方面的要求。

10.2.2 有负压要求的房间采用机械方式送风时，各房间的送风量与岗位送风量之和应小于排风量，房间应保证微负压。

10.2.3 还原炉室与非防爆区相邻应保持微负压，其局部排风与整体排风应符合下列规定：

1 还原炉室应设局部排风、整体排风与事故排风系统，总排风量不得小于6次/h的换气次数；

2 排风机应设置在单独的机房内，并应按防爆要求采用防爆风机，电源应接入应急电源，应与氢气浓度检测探头连锁；

3 事故排风机宜设置备用风机；

4 事故吸风口上缘至顶板的距离不应大于0.1m；

5 风管应采取防静电接地措施。

10.2.4 还原车间的管道夹层四周不宜设外墙，管道夹层上部结构梁内应设防止氢气聚集的导流管，导流管上边缘至楼板的距离不应大于0.1m；当管道夹层四周设有外墙时，应设置整体通风与事故排风系统，并应符合本规范第10.2.3条的有关规定。

10.2.5 生产工艺排出的酸性废气应符合下列规定：

1 腐蚀清洗设备、配酸柜等设备排出的酸性废气应采用局部排风，所含酸性废气应采用酸雾净化塔进行处理；

2 实验室通风柜排出酸性废气宜采用活性炭吸附装置进行处理。

10.2.6 喷砂、硅棒破碎等生产工艺产生的粉尘应设置袋式过滤器除尘系统。

10.2.7 硅芯炉泵房、石墨煅烧炉泵房等应设置整体排风系统，通风换气次数应大于或等于6次/h。

10.2.8 排除酸性废气及粉尘的系统设计应符合下列规定：

1 酸性废气、粉尘等的净化处理装置宜设置在负压段；

2 酸性废气净化系统宜设置备用风机，电源应接入应急电源；

3 风机宜设置变频装置；

4 酸性废气及粉尘应处理达标后排入大气，排气筒高度应符合现行国家标准《大气污染物综合排放标准》GB 16297的有关规定；

5 2台及以上废气处理设备并联运行时，宜在每台设备的入口设置电动或气动密闭风阀。

10.2.9 排风系统风管材料应符合下列规定：

1 排除有爆炸性气体或余热宜采用镀锌钢板风管；

2 排除酸性、碱性废气宜采用难燃型耐腐蚀玻璃钢风管或阻燃型塑料风管；

3 排除有机废气宜采用不锈钢风管；

4 排除含有粉尘的空气宜采用碳钢风管。

10.2.10 洁净区排风管上应采取防止室外空气倒灌的措施。

10.2.11 各动力站房应有良好的通风措施，宜采用自然通风；当自然通风不能满足生产或安全、卫生要求时，应设置机械通风或自然通风与机械通风的联合通风方式。

10.2.12 现场分析室应设置正压通风，正压通风系统应设置中效过滤。

10.3 空气调节与净化

10.3.1 厂房空气洁净度等级、温度、湿度的设计应满足生产工艺要求。

10.3.2 存在下列情况之一时，空调系统应分开设置：

1 净化空调系统与一般空调系统；

2 空气中含有易燃、易爆物质；

3 容易产生交叉污染，对其他工序的产品质量造成影响；

4 对温、湿度控制要求差别大；

5 工艺设备散热量相差悬殊。

10.3.3 保证空气洁净度等级的送风量应符合下列规定：

1 5级～8级洁净室送风量应符合现行国家标准《洁净厂房设计规范》GB 50073的有关规定；

2 生产太阳能级多晶硅的还原炉室，当空调系统为三级过滤时，其送风量应按换气次数大于或等于6次/h计算。

10.3.4 空调系统新风量应取下列两项中的较大值：

1 补偿室内排风量和保持室内正压值所需新风量之和；

2 保证供给室内每人每小时的新风量，洁净区不应小于 $40m^3$，非洁净区不应小于 $30m^3$。

10.3.5 洁净室送风可采用集中送风或风机过滤机组送风的方式。

10.3.6 洁净室与周围区域的压差应符合下列规定：

1 不同等级的洁净区之间的压差不应小于5Pa；

2 洁净区与非洁净区之间的压差不应小于5Pa；

3　洁净区与室外的压差不应小于10Pa。

10.3.7　洁净空调送风、回风和排风系统的启闭应连锁，正压洁净室连锁程序应为先启动送风机，再启动回风机和排风机；关闭时连锁程序应相反。

10.3.8　单向流和混合流洁净室的空态噪声级不应大于65dB(A)，非单向流洁净室的空态噪声级不应大于60dB(A)。

10.3.9　还原车间应独立设置直流空调送风系统，不应回风。

10.3.10　腐蚀清洗室、硅棒破碎室、配件清洗室的空调送风系统不宜回风。

10.3.11　洁净空气调节系统的新风集中处理时，新风处理机组应符合下列规定：

1　新风应经过粗效过滤器处理；

2　严寒地区新风应先预热；

3　送风机宜采取变频措施。

10.3.12　空气过滤器选用、布置应符合下列规定：

1　空气净化处理应根据空气洁净度等级选用过滤器；

2　空气过滤器处理风量不应大于额定风量；

3　中效(高中效)空气过滤器宜集中设置在空调系统的正压段；

4　亚高效和高效过滤器宜设置在净化空调系统的末端。

10.3.13　风机过滤机组的设置应符合下列规定：

1　应根据空气洁净度等级和送风量选用；

2　送风量应能调节；

3　应便于安装、维修及过滤器更换。

10.3.14　净化空调系统的送风机宜采用变频装置。

10.4　防　排　烟

10.4.1　多晶硅厂房防排烟系统的设计应符合现行国家标准《建筑设计防火规范》GB 50016的有关规定。

10.4.2 机械排烟系统宜与通风、空调系统分别设置。排烟补风系统宜与通风、空调系统合用。

10.4.3 机械排烟系统应符合下列规定：

1 排烟系统的密闭空间应设置补风系统，补风量不宜小于排烟量的50%，且房间疏散门内外的压差不宜大于30Pa；

2 发生火情时应能手动和自动开启对应防烟分区的排烟口、排烟防火阀，应同时启动排烟风机和补风机。

10.5 空调冷热源

10.5.1 冷热源站应根据总图规划、工艺布局、气象条件、能源供应状况、输送能耗等因素确定；集中冷热源站宜独立设置，也可在生产厂房内设置。

10.5.2 冷源设计应符合下列规定：

1 具有常年余热蒸汽或热水时，应采用溴化锂吸收式冷水机组供冷；

2 无蒸汽或热水作为热源时，可采用电动压缩式冷水机组供冷；

3 具有多种能源时，可采用复合式能源供冷；

4 夏热冬冷地区、干旱缺水地区的办公楼、宿舍楼、食堂等建筑，可采用空气源或地源热泵冷(热)水机组供冷、供热。

10.5.3 热源设计应符合下列规定：

1 应选用工厂余热作为供热热源，可加装热回收装置或热交换机组回收热能；

2 采用城市集中供热热源时，供热管网及换热站的设计应符合现行行业标准《城镇供热管网设计规范》CJJ 34的有关规定；

3 采用锅炉供热时，应符合现行国家标准《锅炉房设计规范》GB 50041的有关规定；

4 工艺冷却水可以利用且经技术经济比较合理时，可采用吸收式热泵进行热回收供热。

10.5.4 制冷机设计应符合下列规定：

1 当工艺需要的冷冻水参数与空调相同时，可使用同一制冷系统。

2 制冷机台数及调节性能应满足空气调节及工艺冷负荷需求，并应满足部分负荷运行的调节要求；不宜少于2台；仅设1台时，应选择调节性能优良的机型。

3 选用电动压缩式冷水机时，制冷剂应符合有关环保要求。

10.5.5 冷热源宜采用集中设置的冷热水机组，制冷机组及供热设备选型应符合现行国家标准《公共建筑节能设计标准》GB 50189的有关规定。

10.5.6 冷热源站应远离有防微振要求的工艺区域。

10.5.7 冷热水系统的设计应符合下列规定：

1 宜采用闭式一次泵系统。冷冻水系统较大、阻力较高、各环路负荷特性或压力损失相差悬殊时，应采用二次泵系统。二次泵宜根据流量变化采用变速变流量调节方式。

2 定压和膨胀应采用高位膨胀水箱方式。

3 冷水机组供回水设计温差不应小于5℃，技术经济比较合理时，可加大供回水温差。

4 保冷、保温材料的主要技术性能应按现行国家标准《设备及管道绝热设计导则》GB/T 8175的要求确定，并宜选用导热系数小、吸水率低、湿阻因子大、密度小的不燃或难燃的保冷、保温材料。

11 环境保护、安全和卫生

11.1 环境保护

11.1.1 多晶硅工厂环境保护设计应采用清洁生产工艺。

11.1.2 多晶硅工厂环境保护设计应遵守国家现行有关光伏制造行业规范条件的要求。

11.1.3 污染物处理应采用资源利用率高、污染物排放量少的设备和工艺，对处理过程中产生的二次污染应采取相应治理措施。

11.1.4 多晶硅工厂应设置生产废气回收处理设施，排放废气应符合现行国家标准《大气污染物综合排放标准》GB 16297 中规定的排放限值后再对外排放。

11.1.5 生产区内雨水和废水必须分流排放，生产废水应经汇集后处理符合现行国家标准《污水综合排放标准》GB 8978 和当地环境保护规定后再排放。

11.1.6 废渣、废液应根据不同情况分别处理，含氯硅烷的废液和含镍的废硅粉必须无害化处理，污水处理产生的中性渣应外卖、渣场堆存或深埋处理。

11.1.7 多晶硅工厂噪声防治设计应符合现行国家标准《工业企业厂界环境噪声排放标准》GB 12348 的有关规定。

11.2 安全

11.2.1 安全评价应符合国家有关规定和当地要求，安全保护设计应符合批复的评价报告书的要求；劳动保护设施应与主体工程同时设计、同时施工、同时投入使用。

11.2.2 多晶硅工厂防火、防爆、消防等内容设计均应符合现行国家标准《建筑设计防火规范》GB 50016 和《石油化工企业设计防火规范》GB 50160 的有关规定，防爆设计还应符合现行国家标准《爆炸危险环境电力装置设计规范》GB 50058 的有关规定。

11.2.3 三氯氢硅合成、还原、四氯化硅氢化、还原尾气干法回收、制氢站、氯硅烷罐区等装置区内，必须根据物料的危害特性和工况条件设置仪表检测报警、自动连锁保护系统、消防应急联动系统和紧急停车装置。

11.3 卫　　生

11.3.1 多晶硅工厂劳动卫生设计应符合国家和当地相关法律、法规以及标准的规定，并且劳动卫生设施应与主体工程同时设计、同时施工、同时投入使用。

11.3.2 类似氯硅烷贮罐区的装置区应设置紧急淋洗设施；有毒性物料的装置区内应采取防尘、防毒设施，工作场所有害物质浓度应符合国家现行有关工作场所有害因素职业接触限值的规定。

11.3.3 防噪、防振、防暑、防寒、防潮设计应符合国家现行有关工业企业设计卫生标准的规定，对产生超标准噪声的设备应采取消声减振、隔振吸声措施。

12 节能、余热回收

12.1 一般规定

12.1.1 多晶硅工厂节能设计应贯穿在可行性研究、初步设计及施工图设计的全过程；可行性研究、初步设计阶段能耗指标设计应根据原料性能、产品品种、质量及产量指标等综合因素确定节能技术措施、用电方案、预设能耗指标及评价，也可提供不同工艺设备和采用节能技术措施前后能耗对比的数据。

12.1.2 主要耗能设备宜选用高效节能型或低能耗产品，各专业设计应多方案技术经济比较，应选用节能效果好、技术可靠、经济合理的方案。

12.1.3 各个生产装置间应符合安全间距的规定，并应按物料输送距离、管道长度和电缆长度较短的原则布置。

12.1.4 多晶硅工厂各个工序的能耗指标应符合国家现行有关光伏制造行业规范条件的规定和现行国家标准《多晶硅企业单位产品能源消耗限额》GB 29447 有关准入值的规定。

12.1.5 多晶硅工厂生产线所采用的中小型三相异步电动机、容积式空气压缩机、通风机、清水离心泵、三相变压器等通用设备，应符合现行国家标准《中小型三相异步电动机能效限定值及能效等级》GB 18613、《容积式空气压缩机能效限定值及能效等级》GB 19153、《通风机能效限定值及能效等级》GB 19761、《清水离心泵能效限定值及节能评价值》GB 19762、《三相配电变压器能效限定值及能效等级》GB 20052 的有关规定。

12.2 生产工艺

12.2.1 还原炉应选用高效率、低能耗的炉型。

12.2.2 多晶硅生产应采用先进的精馏技术，并应将多晶硅生产各工序进行物料平衡和能量平衡计算，应确定能耗低、经济性好、竞争力强的工艺流程。

12.2.3 多晶硅生产应优化工艺、采暖、通风、空调参数及换热网络，应实现各种能量的梯级利用。

12.2.4 多晶硅工厂应利用多晶硅生产过程中的副产物。

12.2.5 多晶硅工厂必须同步设计余热利用系统；还原炉和氢化反应的余热回收应用于提纯精馏塔再沸器的加热，且余热利用系统不应影响多晶硅正常生产，不应提高多晶硅能耗或降低产量。

12.2.6 多晶硅生产过程应选用节水、节能型产品，并应符合现行国家标准《节水型产品通用技术条件》GB/T 18870 的有关规定。

12.2.7 设备和管道应选用保温性能良好的绝热材料，保温设计应符合现行国家标准《工业设备及管道绝热工程设计规范》GB 50264 的有关规定。

12.2.8 各装置以及重要设备宜设置计量和检测仪表，并宜设置调节控制装置，以满足全厂和各个系统单独计量考核的要求。

12.2.9 多晶硅工厂宜设置循环水系统、高纯水系统、脱盐水系统产生的洁净废水的回收和再利用设施。

附录 A　地下管线与建(构)筑物之间的最小水平净距

表 A　地下管线与建(构)筑物之间的最小水平净距(m)

种类＼管线名称及规格	给水管(mm)		雨、污排水管	电力电缆	电缆沟	通信电缆	热力管(沟)	压缩空气管
	$d\leqslant200$	$d>200$						
建(构)筑物基础外缘	2.0	3.0	3.0	0.6①	0.6①	0.5	1.5	1.5
围墙基础外缘	1.0	1.0	1.0	0.6①	0.6①	0.5	1.0	1.0
乔木(中心)及灌木	1.5	1.5	1.5	0.7	0.7	0.5	2.0	1.5
地上柱杆(通信照明及电压小于或等于 1kV)	0.5	1.0	0.5	1.0①	1.0①	1.0	1.0	1.0
地上柱杆(电压大于 1kV)	3.0	3.0	3.0	4.0①	4.0①	1.0	3.0	3.0
道路侧石边缘	1.5	1.5	1.5	1.0①	1.0①	0.5	1.5	1.5
非直流电气化铁路钢轨(或坡脚)	5.0	5.0	5.0	3	3	2.5	5.0	5.0
直流电气化铁路钢轨(或坡脚)	5.0	5.0	5.0	10	10	2.5	5.0	5.0
架空管架基础	2.0	2.0	2.0	1.0	1.0	0.5	1.0	1.0
沟渠外缘	1.0	1.0	1.0	1.0①	1.0①	1.0	1.0	1.0

注:①特殊情况可酌减且最多减少 1/2,应符合现行国家标准《电力工程电缆设计规范》GB 50217 的有关规定。

附录B 地下管线之间的最小水平净距

表B 地下管线之间的最小水平净距(m)

管线名称		给水管(mm)		压缩空气	热力管(沟)	电缆沟	通信电缆		电力电缆(kV)		
		$d\leqslant200$	$d>200$				管道	直埋	<1	1～10	<35
雨、污排水管		1.0	1.5	1.5	1.5	1.5	1.0	1.0	1.0	1.0	1.0
再生水		1.0	1.5	1.5	1.5	1.5	1.0	1.0	1.0	1.0	1.0
电力电缆(kV)	<1	1.0	1.0	0.5	2①	—	0.1	0.1	0.1	0.1	0.25②
	1～10	1.0	1.0	0.5	2①	—	0.1	0.1	0.1	0.1	0.25②
	<35	1.0	1.0	0.5	2①	—	0.1	0.25	0.25②	0.25②	0.25②
通信电缆	管道	0.5	1.0	1.0	1.0	—	—	—	—	—	—
	直埋	0.5	1.0	1.0	1.0	—	—	—	—	—	—
电缆沟		1.0	1.5	0.5	2①	—	—	—	—	—	—
热力管(沟)		1.0	1.5	1.0	—	—	—	—	—	—	—
压缩空气管		1.0	1.5	—	—	—	—	—	—	—	—

注:①特殊情况可酌减且最多减少1/2,应符合现行国家标准《电力工程电缆设计规范》GB 50217的有关规定。

②用隔板分隔或电缆穿管时可为0.1m。

附录C　主要房间空气洁净度、温度、湿度

表C　主要房间空气洁净度、温度、湿度

工段	房间名称	空气洁净度等级	夏季		冬季		吊顶净高（m）	备注
			温度（℃）	湿度（%）	温度（℃）	湿度（%）		
还原	还原炉室	三级过滤	28	<60	22	50	—	生产太阳能级多晶硅
		8	28	<60	22	50	—	生产半导体级多晶硅
后处理	中间库	7	26	≤60	18	40	3.5	—
	硅棒破碎室	7	26	≤60	18	40	4.0	不回风
	硅料分拣室	7	26	≤60	18	40	3.5	除尘
	腐蚀清洗室	6(局部5)	26	≤60	18	40	4.0	排气含酸处理
	硅料包装室	7	26	≤60	18	40	3.5	生产太阳能级多晶硅
		6	26	≤60	18	40	3.5	生产半导体级多晶硅

辅助	硅芯制备室	8	26	60	18	40	7	电磁屏蔽(拉制法)
	配件清洗室	8	26	≤60	18	40	4	石墨件和硅芯的清洗
	石墨煅烧室	8	26	≤60	18	40	4	—
	烘干室	8	26	≤60	18	40	4	—
分析检测	磷硼检测室	8	26	60	18	40	6	—
	物测室	7	25±2	≤50	25±2	≤50	—	电磁屏蔽
	天平室	7	25±2	≤60	25±2	≤60	—	—
	光度分析室	8	25±2	≤60	25±2	≤60	—	—
	样品处理室	7	25±2	≤60	25±2	≤60	—	—
	质谱分析室	6	25±2	≤60	25±2	≤60	—	电磁屏蔽
	红外分析室	8	25±2	≤60	25±2	≤60	—	
	气相分析室	8	25±2	≤60	25±2	≤60	—	

注:腐蚀清洗室主要为生产半导体级多晶硅免洗料设置,在清洗设备上设置层流罩,保证在设备内部空气洁净度达到5级。

本规范用词说明

1 为便于在执行本规范条文时区别对待，对要求严格程度不同的用词说明如下：

1）表示很严格，非这样做不可的：

正面词采用“必须”，反面词采用“严禁”；

2）表示严格，在正常情况下均应这样做的：

正面词采用“应”，反面词采用“不应”或“不得”；

3）表示允许稍有选择，在条件许可时首先应这样做的：

正面词采用“宜”，反面词采用“不宜”；

4）表示有选择，在一定条件下可以这样做的，采用“可”。

2 条文中指明应按其他有关标准执行的写法为：“应符合……的规定”或“应按……执行”。

引用标准名录

《建筑结构荷载规范》GB 50009

《混凝土结构设计规范》GB 50010

《建筑抗震设计规范》GB 50011

《室外给水设计规范》GB 50013

《室外排水设计规范》GB 50014

《建筑给水排水设计规范》GB 50015

《建筑设计防火规范》GB 50016

《采暖通风与空气调节设计规范》GB 50019

《湿陷性黄土地区建筑规范》GB 50025

《压缩空气站设计规范》GB 50029

《建筑照明设计标准》GB 50034

《动力机器基础设计规范》GB 50040

《锅炉房设计规范》GB 50041

《工业建筑防腐蚀设计规范》GB 50046

《工业循环冷却水处理设计规范》GB 50050

《供配电系统设计规范》GB 50052

《建筑物防雷设计规范》GB 50057

《爆炸危险环境电力装置设计规范》GB 50058

《洁净厂房设计规范》GB 50073

《工业循环水冷却设计规范》GB/T 50102

《膨胀土地区建筑技术规范》GB 50112

《建筑灭火器配置设计规范》GB 50140

《石油化工企业设计防火规范》GB 50160

《氢气站设计规范》GB 50177

《工业企业总平面设计规范》GB 50187
《公共建筑节能设计标准》GB 50189
《电力工程电缆设计规范》GB 50217
《建筑内部装修设计防火规范》GB 50222
《建筑工程抗震设防分类标准》GB 50223
《火力发电厂与变电站设计防火规范》GB 50229
《工业设备及管道绝热工程设计规范》GB 50264
《民用建筑工程室内环境污染控制规范》GB 50325
《固定消防炮灭火系统设计规范》GB 50338
《储罐区防火堤设计规范》GB 50351
《气体灭火系统设计规范》GB 50370
《化工企业总图运输设计规范》GB 50489
《石油化工可燃气体和有毒气体检测报警设计规范》GB 50493
《电子工业纯水系统设计规范》GB 50685
《石油化工安全仪表系统设计规范》GB 50770
《工业自动化仪表气源压力范围和质量》GB 4830
《生活饮用水卫生标准》GB 5749
《设备及管道绝热设计导则》GB/T 8175
《污水综合排放标准》GB 8978
《氯气安全规程》GB 11984
《工业企业厂界环境噪声排放标准》GB 12348
《硅多晶》GB/T 12963
《电能质量　公用电网谐波》GB/T 14549
《大气污染物综合排放标准》GB 16297
《中小型三相异步电动机能效限定值及能效等级》GB 18613
《节水型产品通用技术条件》GB/T 18870
《容积式空气压缩机能效限定值及能效等级》GB 19153
《通风机能效限定值及能效等级》GB 19761
《清水离心泵能效限定值及节能评价值》GB 19762

《三相配电变压器能效限定值及节能评价值》GB 20052

《太阳能级多晶硅》GB/T 25074

《多晶硅企业单位产品能源消耗限额》GB 29447

《城镇供热管网设计规范》CJJ 34

《自动化仪表选型设计规定》HG/T 20507

《控制室设计规定》HG/T 20508

《仪表供电设计规定》HG/T 20509

《仪表供气设计规定》HG/T 20510

《仪表系统接地设计规范》HG/T 20513

《仪表及管线伴热和绝热保温设计规范》HG/T 20514

《分散型控制系统工程设计规范》HG/T 20573

《压缩机厂房建筑设计规定》HG/T 20673

《建筑变形测量规范》JGJ 8

《冻土地区建筑地基基础设计规范》JGJ 118

《石油化工自动化仪表选型设计规范》SH 3005

《石油化工控制室设计规范》SH/T 3006

《石油化工仪表供气设计规范》SH/T 3020

《石油化工企业照度设计标准》SH/T 3027

《石油化工企业职业安全卫生设计规范》SH 3047

《石油化工仪表接地设计规范》SH/T 3081

《石油化工仪表供电设计规范》SH/T 3082

《石油化工分散控制系统设计规范》SH/T 3092

《石油化工仪表及管道伴热和绝热设计规范》SH/T 3126

《盐渍土地区建筑规范》SY/T 0317

《导热油加热炉系统规范》SY/T 0524

中华人民共和国国家标准

多晶硅工厂设计规范

GB 51034 - 2014

条 文 说 明

制订说明

《多晶硅工厂设计规范》GB 51034—2014，经住房城乡建设部2014年8月27日以第530号公告批准发布。

在本规范编制过程中，编制组经过了广泛深入的调查研究，认真总结了我国多晶硅行业多年发展积累的经验和成果，借鉴了相关国家、行业的先进标准，并在广泛征求意见的基础上，通过反复讨论、修改和完善，最后形成本规范。

为了便于广大设计、科研、企业等单位有关人员在使用本规范时能正确理解和执行条文规定，《多晶硅工厂设计规范》编制组按章、节、条的顺序编制了本规范的条文说明，对条文规定的目的、依据以及执行中需要注意的有关事项进行了说明，还着重对强制性条文的强制性理由作了解释。但是，本条文说明不具备与规范正文同等的法律效力，仅供使用者作为理解和把握规范规定的参考。

目　　次

1 总 则

1.0.1 本条提出的“技术先进、经济合理、安全可靠、环保节能”是国家的基本技术经济政策，也是多晶硅工厂设计应贯彻实施的方针；建设资源节约型、环境友好型社会，发展循环经济是国家经济发展的一项重大战略思想。

1.0.2 已经实现工业化生产的多晶硅生产工艺有冶金法、三氯氢硅氢还原法以及硅烷法等，其中三氯氢硅氢还原工艺成熟，适合大规模工业化生产，是目前国内外主流生产工艺，采用此方法的产能占多晶硅总产能的85%以上。本规范适用于三氯氢硅氢还原生产工艺；以歧化工艺为主的硅烷法的三氯氢硅合成、四氯化硅氢化和精馏环节与三氯氢硅氢还原工艺基本相同，也按本规范的有关规定执行。

2 术　　语

2.0.4 四氯化硅氢化是将多晶硅生产中大量副产的四氯化硅转化成三氯氢硅的工艺，目前已经实现工业化生产、比较成熟的氢化工艺有热氢化、冷氢化。其中热氢化是在1250℃低压条件下，四氯化硅和氢气直接反应生产三氯氢硅的工艺，该工艺具有易操作、反应无杂质带入、后续精馏简单、电耗高、转化率低等特点；冷氢化是在500℃高压条件下，四氯化硅、氢气与硅粉反应生产三氯氢硅的工艺，该工艺具有电耗低、转化率高、单体设备处理能力大、操作要求高等特点。

3 基本规定

3.0.1、3.0.2 设计规模及相关规定是根据《光伏制造行业规范条件》(工信部2013年第47号)制订的。这些年多晶硅行业发展迅速,存在重复建设、低质发展以及各种配套设施发展不平衡等问题,国家鼓励发展高技术、低消耗、低排放的新工艺,支持企业提高自主创新能力,引导行业有序发展,为此,《光伏制造行业规范条件》中规定了太阳能级多晶硅的建设规模、产品质量、能耗水平等内容,以及对环境保护、质量管理、安全、卫生等方面提出了要求,还要求企业采用工艺先进、节能环保、产品质量好、生产成本低的生产技术和设备。

3.0.3 多晶硅工厂设计除应符合现行国家标准《多晶硅企业单位产品能源消耗限额》GB 29447的有关规定外,还应符合即将实施的改良西门子法制备多晶硅企业安全标准化实施指南的有关规定。

4 厂址选择及厂区规划

4.1 厂址选择

4.1.1、4.1.3 这两条是根据《光伏制造行业规范条件》(工信部2013年第47号)及国家相关的建设法规提出的。

《光伏制造行业规范条件》中对项目建设条件规定如下：

(1)光伏制造企业及项目应符合国家资源开发利用、环境保护、节能管理等法律法规要求，符合国家产业政策和相关产业规划及布局要求，符合当地土地利用总体规划、城市总体规划、环境功能区划和环境保护规划等要求。

(2)在国家法律法规、规章及规划确定或省级以上人民政府批准的基本农田保护区、饮用水水源保护区、自然保护区、风景名胜区、重要生态功能保护区和生态环境敏感区、脆弱区等法律、法规规定禁止建设工业企业的区域不得建设光伏制造项目。上述区域内的现有企业应逐步迁出。

4.1.4 多晶硅生产需要消耗较多的电力、蒸汽、水等动力能源，动力成本占到多晶硅综合成本的50%，一般动力能源短缺的地方能源价格较高，不利于企业保持价格竞争优势，只有能源充足的地方能源价格才相对较低，才能为多晶硅的健康发展奠定基础。因此，为了保证我国信息产业、光伏产业基础原材料的供应安全，需要多晶硅企业布局于能源充足、水资源有保障的化工园区；同时，园区的市政基础和公共环保基础设施应健全，保证企业与当地化工园区的和谐共同发展。

4.1.5 本条是对厂区的工程地质条件作出的规定。

4.1.2、4.1.6 多晶硅生产伴有易燃、易爆、有毒、有腐蚀性物质的存在，应减少对周边环境的影响；并且应将工厂设置在通风良好的地带，使其能较快地排放有害气体。

4.1.8 本条是为了防止厂区遭受洪水或内涝灾害而制订的。

4.1.9 根据国土资源部《工业项目建设用地控制指标》(国土资发〔2008〕24号)的要求，厂址选择时应尽量利用荒地、劣地、山坡地，不占或少占耕地。进一步加强建设用地的集约利用和优化配置。

4.2 厂区规划

4.2.1、4.2.2 根据企业的发展趋势、当地建设条件以及区域规划适当留有发展余地，正确处理好企业发展近远期的关系，以保证规划的合理性。

4.2.3 本条要求总图布置充分利用地理条件，布局紧凑，减少厂区用地面积。

4.2.4 多晶硅生产中伴有易燃、易爆、有毒、有腐蚀性物质的存在，生产过程中会有氢气、氯化氢等气体无组织排放，为了减轻厂区内生产装置之间的互相影响，便于有毒、有害气体的及时排放和扩散，需要将厂区分区规划，不同的功能区域所处的风向位置也要不同；而且厂区内的平面布置应符合现行国家标准《建筑设计防火规范》GB 50016、《石油化工企业设计防火规范》GB 50160、《工业企业设计卫生标准》GBZ 1 等有关安全、环保、卫生等方面的规范的要求。

4.2.5 本条根据多晶硅生产的特点，规定了总平面设计的原则。

2 当规模较小时，可将本款所述生产功能合并建造，便于物流管理；当生产规模较大时，可分开建设。

3、4 这些生产装置都伴有氢气、三氯氢硅、氯化氢等危险化学品存在，而且大部分装置内该类物质的存量都超过了临界量，因此有必要将该类装置集中布置，便于重大危险源的管理，而且构成重大危险源的装置与厂内外设施的防火间距应符合现行国家标准《建筑设计防火规范》GB 50016、《石油化工企业设计防火规范》GB 50160 等的有关规定；采用框架结构或露天布置是为了便于自然通风和危险气体的扩散。

7 本款是指给各个主工序配套的辅助设施宜就近独立配置，如还原尾气干法回收工段配套的活性炭吸附、冷冻、氢气压缩等设施应单独给该工段配套，减少非相关系统对其的影响。

8、9 多晶硅工厂一般将尾气淋洗和废液处理装置与三废处理站合并或是临近建设，这些装置都有可能无组织排放粉尘和氯化氢等物质，虽是达标排放，但是长期排放也会对循环水站等生产生活设施造成影响。因此循环水站等生产、生活区域应远离该类装置。

4.2.8 本条是强制性条文。设置四氯化硅等还原反应副产物的综合利用或处理设施是为了将这些副产物循环利用，节约资源，保护环境。三氯氢硅氢还原工艺的还原一次转化率低，约为10%，大量未参与反应的物料以及反应副产物以尾气的形式排出生产系统，为了节约资源和保护环境，需将还原尾气中的各个成分有效回收、循环利用；特别是四氯化硅，每生产1t多晶硅副产约18t四氯化硅，如果得不到循环回收使用，必然导致资源浪费和增大环保负担。

5 工艺设计

5.1 一般规定

5.1.1 三氯氢硅氢还原法多晶硅生产工艺主要由还原、提纯、干法回收和三氯氢硅生产四大主工艺系统组成。工艺流程见图1。

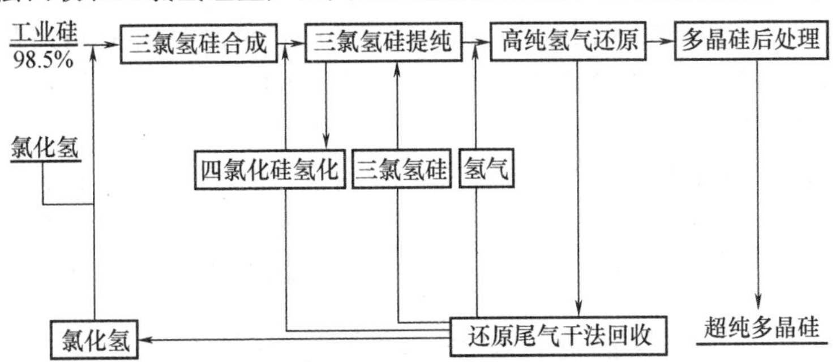

图1 三氯氢硅氢还原生产工艺流程简图

多晶硅行业近年来发展迅速，其生产工艺和设备装备水平较以前均有大幅度提升，每个主工艺都有几种工艺方案选择。为提高建设质量以及整个行业的技术水平，本条对工艺流程的设计和工艺设备的选型进行了规定。

1 多晶硅工厂主要的能源消耗是电力和蒸汽，由此产生的成本超过了多晶硅成本的一半。不同的产品方案决定了不同的精馏提纯流程和工艺，不同的建设规模和能源价格决定了不同的氢化工艺，不同的建设规模、能源价格和投资资金决定了还原炉等主要设备选型的经济性。

2、3 国家大力提倡循环经济发展模式，以建设资源节约型、环境友好型的美丽社会为目标；因此工厂建设中应做到安全可靠、环保节能、技术先进、经济合理。

5　多晶硅生产是个较为复杂的系统工程，每个主工序的生产特点均有不同，如还原过程的一次转化率低，只有10%左右，大量三氯氢硅和副产物以尾气的形式进入干法回收系统，干法回收应具备吸纳不同气量、不同组分还原尾气的能力；各个主工序之间生产能力应有合理匹配和综合平衡。

5.1.5　现行国家标准《多晶硅企业单位产品能源消耗限额》GB 29447中对多晶硅各生产单元的工艺电耗、蒸汽消耗、综合电耗以及综合能耗分别给出了限定值、准入值、先进值的要求，新建项目至少达到限额准入值标准。本条规定各生产单元的蒸汽、电力及综合能耗不大于限额准入值，并达到先进值，目的是节约资源能源。

5.1.8　多晶硅生产过程伴有氢气、三氯氢硅、二氯二氢硅、四氯化硅、氯化氢等危险化学品，对于输送易燃、易爆、有毒、有腐蚀性物料的设备和管道应考虑其使用的安全性，防止泄漏。

5.2　三氯氢硅合成和四氯化硅氢化

5.2.1　目前国内多晶硅企业有的自建合成装置，有的靠市场供应补充，有的调整生产工艺将氢化和合成工序合二为一，因此各个企业应根据各自情况来决定采用何种方式补充三氯氢硅。

5.2.4　三氯氢硅合成的反应气体中含有粉尘、金属氯化物等杂质，这些物质有可能堵塞设备和管道，影响生产系统的运行，造成停车等问题；因此需要采取合适的除尘工艺除去该类物质，减少系统阻塞的可能性，保证较长的运行时间，减少停车检修时间。

5.2.7　目前国内主流的四氯化硅处理方式为高温氢化、冷氢化，各有优缺点。高温氢化工艺单位产品耗电量高；冷氢化工艺虽然单位产品耗电量低，但是会引入新杂质，与之配套的精馏提纯工艺较为复杂，蒸汽消耗量较高。所以各个企业应根据各自情况综合比较后再决定采用何种氢化工艺。

5.2.9　为保证冷氢化工序生产连续长期运行，应定期排放固体含量很高的残液，防止其堵塞管道和设备。由于残液中含有硅粉、金属氯化物等物质，不适合长距离输送，而残液需要回收有用组分，避免造成环境污染，因此冷氢化装置应配套残液回收装置，且就近配置。

5.2.11 对于输送易燃、易爆、有毒、有腐蚀性物料的设备应考虑其使用的安全性，防止泄漏。

5.3 氯硅烷提纯

5.3.2 氯硅烷物料中三氯氢硅、四氯化硅、二氯二氢硅性质接近，特别适合差压耦合工艺，而且与其他常规精馏工艺相比，差压耦合工艺能有效降低能耗 40%～80%。因此为了降低单位产品能源消耗，热量双效梯级使用，宜优先考虑采用差压耦合工艺。

5.3.3 本条第 4 款的规定是为了防止耦合氯硅烷蒸气得不到完全冷凝，影响生产的正常运行。

5.4 三氯氢硅氢还原

5.4.1 《光伏制造行业规范条件》(工信部 2013 年第 47 号)规定：新建和改、扩建项目还原电耗小于 60kW·h/kg。还原电耗是多晶硅生产的主要能源消耗，本条规定的目的是节约资源能源。

5.4.2 供料系统是指将三氯氢硅液体汽化后和氢气混合以气态的形式送入还原炉内；若输送管线过长，容易出现气体液化现象，影响产品质量和安全；因此还原炉供料系统应靠近或紧靠还原车间。

5.4.5 本条中生产太阳能级多晶硅的还原炉室至少采用三级过滤的洁净新风，主要是防止新风内的粉尘对硅料造成二次污染。

5.4.6 如果遇到突发事故导致冷却介质(主要是指高温水)不流动或还原炉局部过热，冷却介质汽化超压将发生安全事故，因此需在顶部夹套处设置排气口和安全阀，保护还原炉及其夹套，保证还原炉安全运行，同时安全阀的泄放口要引至安全处，避免泄放伤人。

5.5 还原尾气干法回收

5.5.2 多晶硅还原生长过程中往往采用一些强化生产的手段，提高硅棒的生长速度，降低还原直接电耗，这也随之产生了大量的无定形硅，这些无定型硅若得不到及时回收，将对后续工序的压缩机、泵等设备造成损害。

5.5.5 对于输送易燃、易爆、有毒、有腐蚀性物料的设备应考虑其使用的安全性，防止泄漏。

5.6 硅芯制备及多晶硅产品后处理

5.6.4 本条第1款和第7款的规定主要是为了防止运输路径和环境对硅料的二次污染，第2款和第4款的规定是为了防止与硅料接触的工具对硅料造成二次污染。

5.6.5 多晶硅的酸腐蚀主要采用氢氟酸和硝酸的混酸，具有强腐蚀性，供酸室不应与腐蚀清洗室设置在一起。本条第3款规定了供酸室与腐蚀清洗室分开布置，但布置时应兼顾供酸管道的距离和位置，输送距离远，输送管过长，输送线路不安全。

5.7 分析检测

5.7.1 为了准确和及时反映生产情况，需要对部分气体进行在线分析和就近取样分析，而且取样管道不宜过长，以免出现冷凝现象影响分析结果，因此需要在装置内设置分析检测室和在线分析装置。

6 电气及自动化

6.1 电　　气

6.1.1 本条对供配电系统设计作出规定。

1 供配电系统设计应做到远近期结合，在满足近期使用要求的同时，兼顾未来发展的需要。

3 高效、节能、环保、安全、性能先进的电气产品必须是国家主管部门鉴定机构鉴定的合格产品。

6.1.2 本条对负荷分级及供电要求作出规定。

3 特别重要负荷系依据现行国家标准《供配电系统设计规范》GB 50052—2009 中第 3.0.1 条第 2 款的规定；若多晶硅还原炉体冷却系统工艺采取其他措施（如采用高位水箱等），在突然停电时不会损伤还原炉设备，不会引发安全事故，则还原车间炉体、底盘冷却循环水泵可不列入特别重要负荷。

6.1.3 本条对电源电压选择及供电系统作出规定。

3 多晶硅项目中还原变压器数量、容量较大，因此在总变电所归用户管理时，还原变压器宜由总变电所或二级 10kV 配电站直供。

5 还原调功设备应具有良好的性能，即采用安全、先进、可靠的控制系统，调功过程中产生较低的谐波分量，谐波含量应满足国家相关规范的要求。

7 TN-S 系统指整个系统 N、PE 线是分开的，TN-C-S 系统指系统中有一部分线路的 N、PE 线是合一的。

9 本款是强制性条款。应急电源与正常电源之间采取措施防止并列运行，其主要目的是保证应急电源的专供性，防止正常电源故障时应急电源向正常电源系统负荷送电而失去应急的作用。

本款作为强制性规定，最终目的是保证生产稳定连续，避免造成财产损失和安全事故。

6.1.6 本条对防雷与接地系统作出规定。

3 本款是强制性条款。在过去的项目中，对于某些爆炸、火灾危险场所内可能产生静电危险的设备和管道，由于静电接地系统不完善，会发生静电燃爆的事故，因此应做防静电处理，避免事故发生，保障人身安全。

6.2 自 动 化

6.2.1 对本条第2款的说明如下：分散型控制系统(DCS)、安全仪表系统(SIS)、安全栅属于关联设备，为方便现场安装、调试、开车，统一由分散型控制系统(DCS)供应商提供并承担相关责任和服务，以避免中间环节的推诿、扯皮现象。

6.2.2 对本条第3款第4项的说明如下：还原炉硅芯(棒)内、中、外均采用高温双色红外测温仪，是由于被测硅芯较细，且还原炉的视镜易受到污染，影响测量精度。而采用双色红外测温仪则能够更好地消除干扰，保证测量精度要求。

6.2.3 对本条第3款第2项的说明如下：对于测量氯硅烷介质的仪表，宜采用隔膜式压力表(法兰安装)，目的是防止氯硅烷类介质水解后堵塞仪表导压管道，同时起到防腐作用。

对本条第4款第2项的说明如下：一般的压力表和压力变送器是指本行业内常用的工艺接口尺寸在M20×1.5或1/2 60度锥管螺纹(NPT)的一类压力仪表类型。

6.2.4 有关流量仪表的选型要求说明如下：

2 多晶硅工厂中使用的脱盐水及超纯水介电常数非常低，使用电磁流量计会测量不准。

4 由于还原炉内硅棒数量多，工艺要求三氯氢硅及氢气流量变化范围大且要求进料量精度高，为确保全量程下的自动化控制，则宜选用大量程仪表，并带有温、压补偿功能，以保证多晶硅产品的质量要求和连续化自动控制。

由于还原炉进料过程中压力不高，氢气密度低，科氏力质量流量计测量氢气流量必然会严重缩径。按照现行国家标准《氢气站设计规范》GB 50177 的有关规定：在氢气设计压力为 0.1MPa～3.0MPa 时，氢气在碳钢管道中的流速小于 15m/s；在不锈钢管道中的流速小于 25m/s。因此，在仪表设计中，应避免氢气高流速的现象产生，以免造成测量仪表误差及损坏管道，甚至发生爆炸危险。

5 在工艺管道和设备产生泄漏的情况下，氯硅烷介质极易发生水解现象，并产生自聚物堵塞管道或设备，所以一般使用容积式流量计。

6.2.8 大部分装置中都存在有毒、可燃性气体，因此应符合现行国家标准《石油化工可燃气体和有毒气体检测报警设计规范》GB 50493 中的相关要求，建立一套独立设置的报警、联锁系统，以保证装置生产安全、正常的运行。

3 本款是强制性条款。通常情况下，工艺装置或储运设施的控制室、现场操作室是操作人员常驻和能够采取措施的场所。现场发生可燃气体和有毒气体泄漏事故时，报警信号必须使现场报警器报警，提示现场操作人员采取措施。同时，报警信号发送至有人值守的控制室、现场操作室的指示报警设备进行报警，以便控制室、现场操作室的操作人及时采取措施。

6.2.9 在线分析仪表宜采用气相色谱仪，是为了更好地分析原料、中间产品、最终产品的品质是否达到有关的质量标准。其中的有关要求是针对多晶硅介质的特性提出的，用以保证分析仪表设备的正常运行。

6.2.11 本条第 3 款所述的压力值为表压，本规范中所有气体压力值均为表压。

7 辅助设施

7.1 压缩空气站

7.1.1 多晶硅工厂的压缩空气用户主要有仪表用气、冷氢化催化剂氧化用气以及气相白炭黑生产用气，各个用户对压力、质量的要求基本相同，可根据各用户实际用气需求分散或集中地设置压缩空气站。

7.1.3 本条规定了空气压缩机的选型和台数的原则。生产过程中仪表用气是不可长时间间断的，因此空气压缩机需设有备用，或是有可替代气源连通备用，比如可把氮气当作压缩空气的备用气源。

7.2 制氮站

7.2.4 氮气一般用作多晶硅工厂的保护和置换用气；工厂投运后，对氮气的需求就不能间断，而氮气机组一旦出现事故停车后再次启动或备用机组启动都需要大约 2h～20h，这期间需要汽化液氮补充氮气，因此液氮储量需要保证这期间的系统用气量。

7.3 制氢站

7.3.2 目前成熟的制氢工艺有水电解制氢、天然气裂解制氢、甲醇裂解制氢以及煤气回收制氢。不同的制氢工艺需要不同的原料和能源，水电解制氢主要的能源消耗是电力，天然气裂解制氢主要的原料消耗是天然气，甲醇裂解制氢主要的原料消耗是甲醇。各个工厂选择制氢工艺时应充分考虑到当地的电力、天然气、甲醇的价格和供给安全性，经过经济分析后选择经济、可靠的装置。

7.4 导 热 油

7.4.2 多晶硅生产系统中三氯氢硅氢还原、还原尾气干法回收、氯硅烷提纯、三氯氢硅生产等工序都有可能选择导热油作为热源，当多个生产工序选择导热油为热源时，为减少导热油输送过程中的热量损失，导热油加热系统应靠近热量需求较大的主要负荷区。

7.5 纯水制备

7.5.3 本条主要对纯水的水质提出要求。由于纯水主要用于清洗硅料、硅芯和石墨件，为了避免对清洗料二次污染，所以对水质要求比较高。表7.5.3中的指标数据主要依据了美国《电子和半导体工业用超纯水标准指南》ASTM D5127 中 E-1 级的水质标准。

7.5.4 本条第2款规定纯水系统应采用循环方式，主要是为了保证管道内水的流动性，减少死水区，减小管道材料对水质的影响，防止微生物及细菌的滋生。

7.6 制 冷

7.6.1～7.6.4 制冷是指工艺生产用冷要求小于或等于－15℃的系统，工艺生产和空气调节等系统所需的7/12℃冷冻站按本规范第10章的规定采用。

7.7 蒸 汽

7.7.1 本条对蒸汽源选择的原则作出规定。

1 在多晶硅的生产中，蒸汽消耗占总能耗的20％～30％，因此合理选用蒸汽源，达到技术经济最优化显得尤为重要。

目前国内各城市能源结构、价格均不相同，更有环保和消防等多方面的制约，并且这些因素还在不断地发展和变化，因此蒸汽源的选择与项目所在地的能源结构、政策是密切相关的。

2　优先利用工厂周边已有的热电厂或区域供热站等蒸汽系统，这是国家能源政策和节能标准一贯的指导方针。目前我国的中小型工业锅炉，平均运行效率仅50%左右，浪费能源，污染环境。热电厂或区域供热站普遍采用热电联产技术，其集中供热的运行效率一般在80%以上。因此，应根据生产规模、热负荷合理选择蒸汽源，以利于对能源的高效利用，并减少用户初投资和管理开支。

7.7.3　有关蒸汽压力的确定说明如下：

1　供汽压力越低越好，但需要考虑蒸汽冷凝水回收系统所需的压降。

2　全厂蒸汽输配管网压力等级的选择应根据生产工艺的要求合理综合考虑，但不宜多于3个，以免造成室外管网系统过于复杂。

3　低压蒸汽减温减压系统大小应考虑工艺装置开车用汽量，主要是考虑到开车过程中多晶硅可副产低压蒸汽的还原工序靠后，不能及时提供所需低压蒸汽。

8 建筑结构

8.1 一般规定

8.1.1 本条是强制性条文。由于建筑的防火安全直接涉及人员和设备的安危，因此应对多晶硅工厂建(构)筑物的火灾危险性分类及耐火等级进行规定。

表8.1.1列出了多晶硅工厂主要生产厂房、工段装置、辅助用房和公用工程的火险类别及耐火等级规定。

目前国内多晶硅工厂主要以三氯氢硅氢还原法工艺生产多晶硅，四氯化硅转化用氢化工艺，尾气回收采用干法回收工艺，主要装置火险类别均为甲类的有：制氢、三氯氢硅合成、精馏、还原、还原尾气回收、废气处理、氢化、氢化尾气回收、原料罐区、离子膜电解、氯氢处理。在多晶硅生产过程中原料有硅粉(易爆粉尘)、二氯二氢硅(易燃液体)、三氯氢硅(易燃液体)、氢气(易燃易爆气体)等。整理(前、后处理)厂房主要包括出炉硅棒去石墨、破碎、筛选、酸洗、称重包装、入库，以及硅芯制备及区熔检验生产和高纯石墨生产线，生产火险类别为丙类。其他表中未列出的辅助车间及公用工程的火险类别划分均按现行国家标准《建筑设计防火规范》GB 50016的有关规定执行。

表8.1.1中的耐火等级规定是根据多晶硅工厂各厂房、装置的火险类别、生产性质和重要性制订的，表中未列出的其他建(构)筑物耐火等级的确定应按现行国家标准《建筑设计防火规范》GB 50016的有关章节执行。

表8.1.1中的整理厂房包括多晶硅前处理和后处理两个工序。其中前处理是多晶硅还原配套的辅助工艺单元，主要包括硅芯制备、石墨煅烧等；而后处理是多晶硅破碎、分拣、称重、腐蚀清

洗及包装的统称。

8.1.2 多晶硅工厂是典型的化工厂，生产过程中有易燃、易爆物质存在，为了降低相邻建(构)筑物之间的影响，能适应火灾扑救、人员安全疏散，保证财产和人身安全，必须设置安全间距；多晶硅工厂建(构)筑物之间的最小间距就是防火间距，但是有特殊要求的除外，如洁净厂房与主要交通干道的间距要考虑空气的污染情况。由于现行国家标准《建筑设计防火规范》GB 50016 中没有规定露天工艺装置和其他建(筑)物的防火间距，因此该部分执行现行国家标准《石油化工企业设计防火规范》GB 50160 的有关规定。

8.1.3 多晶硅工厂主要装置火险类别和爆炸的危险性较高，一般应露天或半露天设置，但是工艺上对环境防冻温度及防风沙有要求的装置可以放置在厂房里。如为了保证产品质量，工艺要求把生产半导体级产品的还原炉布置在空气洁净度为 8 级以上(相当于原 10 万级)的洁净区内，生产太阳能级产品的还原炉布置在送风为三级过滤的洁净区内，产品通过洁净连廊直接送到整理厂房，以减少污染的机会。整理厂房内硅块生产过程和产品的空气洁净度要求为 7 级以上(相当于原万级)。露天装置和厂房的爆炸危险区范围的划分按现行国家标准《爆炸危险环境电力装置设计规范》GB 50058 的有关规定执行。封闭后厂房的防火设计、防爆措施和泄压面积的计算应执行现行国家标准《建筑设计防火规范》GB 50016 有关章节的规定，并对人员的安全疏散采取防护措施。

8.1.4 厂房、库房的防火分区应符合下列规定：

1 本款提出了生产厂房、辅助设施和公用工程划分防火分区的原则要求。

2 考虑到还原厂房、整理厂房一般都是多功能房间组合布置，多层厂房的防火分区划分宜按层划分，同时规定在按层划分防火分区时，应用封闭楼梯间来解决疏散问题。封闭楼梯间的设计应按现行国家标准《建筑设计防火规范》GB 50016 的有关规定执行。

8.1.5 本条是对多晶硅工厂中安全和卫生设计的规定性要求。由于现行国家标准《工业企业设计卫生标准》GBZ 1 中无露天装置的相关规定，所以露天装置部分还需执行现行行业标准《石油化工企业职业安全卫生设计规范》SH 3047 的相关规定。

8.2 主要生产厂房和辅助用房

8.2.1 本条对还原主厂房设计作出规定。

1 由于还原炉室生产类别属于甲类火险易燃易爆，所以除采取设置泄爆面积等防爆防护措施外，厂房结构设计应优先采用钢筋混凝土或钢结构，耐火等级不应低于二级。

2 本款为强制性条款。还原厂房为甲类厂房，为了保证人员安全，厂房内不应设置常驻人的办公室和休息室。其他辅助用房和卫生间需要设置时，必须在山墙一端贴邻设置，并应采用具有耐火极限不低于 3.0h 的防爆防护功能的墙相隔。由于是甲类厂房，当防爆防护墙兼作防火墙时，耐火极限不应低于 4.0h，防爆墙上的门应为防爆防火门且向疏散方向开启。

3 本款为强制性条款。当工艺生产上要求在还原厂房内设置一些辅助用房时，如调功器室、变压器室、高压启动室、炉体冷却水系统、空调机房、炉体清洗、工具间、人员和物料净化用室等，为了保护设施和人员的安全，这些辅助用房应布置在其他隔间或防火区内，不同的防火分区应该用防火墙、防火楼板分隔，和还原炉大厅贴邻的房间还应设置防爆防护隔墙。厂房的平面布置应符合现行国家标准《建筑设计防火规范》GB 50016 中的有关规定。一般情况下，敞开的汇流排设施与还原炉室贴邻布置，所以在设置还原炉室外墙泄压面时，应在汇流排高度范围内设局部的防爆防护半高隔墙以保护汇流排设施。

4 本款是针对在整理厂房集中布置人员净化室和生活用室，然后用洁净连廊与还原厂房相接的这种布置方式制订的。对在还原厂房山墙一侧布置人员净化和生活用房时，应用防爆防护隔墙与还原炉炉室加以分隔。

5 本款为强制性条款。厂房为甲类多层，应设封闭楼梯间，考虑到还原炉装置的易燃易爆性，为了保护疏散人员的安全，直通还原炉炉室的楼梯应为封闭楼梯间，并布置具有防爆防护功能的前室(即双门斗)。

6 楼梯间安全出口的布置和疏散距离应符合现行国家标准《建筑设计防火规范》GB 50016 中的有关规定。

8 当还原炉室设置管道夹层时，为避免易燃易爆气体积聚，应采用敞开或半敞开布置。由于顶棚下最易于积聚管道、设备泄漏的氢气，而吊顶可以消除顶棚梁造成的死角，避免意外引爆，同时为避免氢气渗入吊顶内，因此要求吊顶是密封的。

8.2.2 本条对整理厂房设计作出规定。

2 为了保证产品质量，多晶硅的后处理工艺生产要求在整理厂房内设置不同空气级洁净度等级的洁净区，如硅棒出炉及运输通道空气洁净度为 8 级(原 10 万级)，多晶硅块生产至包装空气洁净度为 7 级(原万级)以上。在布置洁净区时，应注意和普通辅助生产区的分隔，同时注意尽量避免人流之间的交叉；当有货运电梯时，应设置缓冲前室，前室的尺度应以满足运输车的活动为准，一般开间不小于电梯井道宽，进深不小于 3m。

8.2.4 本条是对洁净区设计中人员净化室和生活用房设计的规定。对其他无净化要求的一般更衣室、卫生间、生活用房的设置应符合现行国家标准《工业企业设计卫生标准》GBZ 1 的有关规定。

8.2.5 本条是对设计各主要辅助用房的原则性规定，具体设计时应执行现行的各相关国家标准。

2 中央控制室的设计有独立的，也有组合到其他建筑中的，有建在厂前区的，也有建在生产区的，设计中无论采用哪种方式，保证中央控制室的安全是首先要考虑的。独立设置全厂性的中央控制室便于防火、防爆设计的安全控制，所以建议优先采用独立设置。独立设置中央控制室时为安全起见，首先要满足与相邻建

(构)筑物之间的防火间距。

3 本款为强制性条款。当中央控制室与其他建筑合建时，由于控制室在功能上十分重要，必须保证人员及设施的安全，所以控制室及与他相关的辅助房间应设置成独立的防火分区和安全出口。当合建建筑和易燃易爆的甲类装置的间距不能满足最小间距要求时，应采取抗爆防护措施，此时建筑的安全出口应避开迎爆面。

4、5 对其他厂房、仓库、辅助用房、公用工程的防火设计应按现行国家标准《建筑设计防火规范》GB 50016 执行，对于行业性较强的一些项目如制氢车间等，还需遵循现行国家标准《氢气站设计规范》GB 50177、《锅炉房设计规范》GB 50041、《火力发电厂与变电站设计防火规范》GB 50229 等的有关规定。

8.2.6 有关装置框架、构筑物设计的规定说明如下：

1 由于露天钢结构的耐火保护、防腐蚀处理都比较繁杂，费用高而且维修不易，因此在多晶硅工厂里宜优先采用钢筋混凝土框架结构。如果因工艺的要求、施工工期等的限制也可采用钢结构框架。

2 由于露天钢结构框架在火灾时丧失强度会造成重大的设施损失，所以应加强对钢结构的耐火保护。钢结构的耐火保护范围应按现行国家标准《石油化工企业设计防火规范》GB 50160 的有关规定执行，该条款制订比较完备，可操作性强。

3 甲类火险的三氯氢硅原料罐区对周边环境与安全影响重大，除应遵守规范关于安全间距的规定外，还应执行现行国家标准《储罐区防火堤设计规范》GB 50351 的有关规定。同时因三氯氢硅液体具有毒性，泄漏会污染环境，因此应根据现行行业标准《石油化工企业职业安全卫生设计规范》SH 3047 的有关规定对罐区防火堤内地坪、排水沟、集水坑等部位采取防泄漏措施。

8.3 防火、防爆

8.3.1 由于还原厂房火险等级为甲类，且易燃易爆，涉及人员及重要设施安全，因此本条中第 2 款、第 3 款为强制性条款。

2　还原厂房中的还原炉室是建筑重点防护部位。工艺生产中的主要易燃、易爆危险性物料有三氯氢硅甲类(易燃液体)、氢气甲类(易燃易爆气体),主要危险是三氯氢硅因操作失误引起的火灾爆炸和氢气泄漏后的聚集空气混合体的闪爆,所以为了减小爆炸造成建筑主体结构的破坏,设计时应在外墙面和屋面设置足够的泄爆面积。根据现行国家标准《建筑设计防火规范》GB 50016的规定,公式中的 C 值大于或等于 0.25,以此算出的泄爆面积较大,所以不但屋面要全部作泄爆面积,墙面的相当一部分也要作泄爆面积。泄爆面积可以是轻质屋盖、轻质墙体、易于泄压的带有安全玻璃的门窗。现行国家标准《建筑设计防火规范》GB 50016 要求,作为泄压的屋盖和墙体应采用易于脱落的轻质材料,轻质材料最好具有易碎性质,其部件自重不得大于 $60kg/m^2$,其材料的燃烧性能为 A 级。在满足计算泄压面积的情况下,还应在还原炉与贴邻的汇流排之间设置具有一定防爆防护功能的半高隔墙。

3　防爆防护墙上的门应为防爆门,耐火极限不低于 0.90h,当防爆防护墙兼作防火分区的防火墙时,防爆门应兼具防火门功能,它的耐火极限不低于 1.20h,且开启方向朝向疏散方向。

4　本款是为还原厂房和整理厂房的洁净区设计而规定的,其防火设计应符合现行国家标准《洁净厂房设计规范》GB 50073 的相关规定。

8.3.2　对本条第 2 款的说明如下:由于制氢站厂房为甲类火险,且易燃易爆,涉及人员及重要设施安全,因此本款为强制性条款。制氢厂房中的制氢装置间在防火防爆设计中为防护重点。目前制氢大多采用水电解工艺,氢气泄漏并容易在顶棚等死角处聚集闪爆,因此制氢装置间应采用防爆墙与其他辅助用房分隔,并在屋面和墙面设置足够的泄爆面积。另外,应在屋面设置通风设施,加强通风以降低混合气体的浓度。防爆墙的设置、顶棚的处理、泄爆面积的计算,构造措施、做法等基本同还原厂房。具体设计应执行现行国家标准《氢气站设计规范》GB 50177 的相关规定。

8.3.3 由于变电所为工厂的重要设施，变电所的防火设计对保证全厂的安全生产十分重要。多晶硅工厂的独立室内变电所火险类别为丙类，使用干式变压器或设备含油量小于或等于60kg的独立室内变电所火险类别为丁类。设计时不但要执行现行国家标准《建筑设计防火规范》GB 50016，而且要符合现行国家标准《火力发电厂与变电站设计防火规范》GB 50229—2006第11章的相关规定。

8.3.4 有关氢化、精馏等露天装置及构筑物的防火、防爆设计要求说明如下：

1 现行国家标准《建筑设计防火规范》GB 50016中没有关于露天装置的相关内容，因此本款规定，露天装置设计时按现行国家标准《石油化工企业设计防火规范》GB 50160执行。

8.3.5 有关原料罐区的设计要求说明如下：

1 多晶硅工厂的地上甲类液体储罐区主要物料为三氯氢硅、二氯二氢硅。虽然现行国家标准《建筑设计防火规范》GB 50016—2006第4章中有关于甲、乙、丙类液体、气体储罐（区）与可燃材料堆场的相关规定，但是缺少与露天装置关系的相关规定，相比之下现行国家标准《石油化工企业设计防火规范》GB 50160较为接近多晶硅厂的情况，如防火间距的规定更为严格，因此罐区的设置采用了现行国家标准《石油化工企业设计防火规范》GB 50160。

2 地上易燃液体储罐区的防火堤设计应符合现行国家标准《储罐区防火堤设计规范》GB 50351的规定。

8.3.6 本条是补充说明以上条款未提及的多晶硅工厂中其他厂房、辅助用房、公用工程等，对其防火设计提出了原则性要求。

8.4 洁净设计及装修

8.4.1 有关主厂房设计要求说明如下：

1 半导体级多晶硅产品纯度高，为保证产品质量，避免硅棒和多晶硅在生产和运输过程中受污染，还原炉室工艺一般要求空气的洁净度不低于8级。洁净区的出入口部应设置人员净化、物料净化用室和生活用室。洁净区的口部平面设置、防火和疏散、室内装修均应按现行国家标准《洁净厂房设计规范》GB 50073执行。还原炉室通过洁净连廊与整理工段相连，合用净化口部房间可以简化人流路线，节省投资。连廊的空气洁净度和室内装修要求同还原炉室。

由于还原炉室为高大厂房，体积较大，从产品要求、投资和运行成本考虑，生产太阳能级多晶硅的还原炉室对空气的要求考虑三级过滤，可不按洁净厂房考虑。

3 为保证多晶硅的产品质量，整理车间内从多晶硅棒去石墨到多晶硅破碎、筛选、酸洗干燥、称量、包装等后处理工段的空气洁净度不宜低于7级，前处理多晶硅还原配套的辅助工段(主要包括硅芯制备、石墨煅烧等)空气洁净度不宜低于8级。洁净区的出入口部应设置人员净化用室、物料净化用室、生活用室。洁净区的口部平面设置、防火和疏散、室内装修均应按现行国家标准《洁净厂房设计规范》GB 50073的有关规定执行。

8.4.2 本条对有空气洁净度要求的其他厂房和建筑作出规定。

1 高差定为大于或等于300mm是因为洁净房间有较高的防潮要求。

3 现行国家标准《洁净厂房设计规范》GB 50073中的室内装修条款对洁净室的门窗、墙壁、顶棚、地面都规定得较为详细，故规定按其执行。

4 本款对洁净区外没有空气洁净度要求的其他辅助房间的装修作了一般性规定。

8.5 防 腐 蚀

8.5.1 多晶硅工厂的工艺装置泄漏的三氯氢硅、四氯化硅遇水或潮湿空气后会生成含硅酸、盐酸等具有强腐蚀性的物质，这些腐蚀性物质对厂房、装置框架的内部或外部的腐蚀较为严重，腐蚀程度一般达到中度，因此应采取有效的防腐蚀措施。表 8.5.1 列举了各装置、厂房的腐蚀性介质及腐蚀性分级供防腐设计参考，表中介质的腐蚀性主要对钢筋混凝土而言。

8.5.2 本条规定了液态或气态腐蚀的防腐蚀设计原则及主要建筑构件的具体防腐处理方法。

8.6 结构设计

8.6.1 结构设计方案的选择应以保证结构的整体稳固性为原则。在满足工艺生产要求的前提下，可按下列要求考虑：

(1)选用合理的结构体系、构件形式和布置。

(2)结构的平、立面布置尽量规则，各部分的质量和刚度宜均匀、连续。

(3)结构的传力途径应简捷、明确，竖向构件宜连续贯通、对齐。

(4)采用超静定结构，重要构件和关键传力部位应增加冗余约束或有多条传力途径。

8.6.2 多晶硅工厂各建(构)筑物的设计基准期为 50 年，即建(构)筑物结构的可变作用是按 50 年确定的。

8.6.3 多晶硅生产的主要装置均具有易燃、易爆、剧毒的特点，地震时引发的次生灾害对社会造成的危害较大，因此其抗震设防分类可定为乙类。乙类建(构)筑物应按比当地抗震设防烈度提高一度采取抗震措施，即地震作用按当地的抗震设防烈度计算，当抗震设防烈度为 6 度～8 度时，提高一度考虑(如抗震等级的选取等)，当为 9 度时，应具有更高的要求。与结构有关的如建筑、设备等专业亦应采取同等措施。

8.6.4 本条是强制性条文。多晶硅工厂各装置设计时一般都有明确的使用用途，当改变用途和使用环境(如改、扩建，超载使用，结构开洞，使用环境恶化等)时，会影响其安全及使用年限。任何对结构的改变均应经设计许可或技术鉴定，以保证结构在设计使用年限内的安全和使用功能。现行国家标准《混凝土结构设计规范》GB 50010 中也将该内容列为强制性条文。

8.6.5 多晶硅的生产厂房，除还原厂房具有自身特点外，其他装置的结构设计与一般化工装置差别不大。对还原厂房，近年来由于生产规模不断扩大，还原炉体不断加大，相应重量也在加大，表 8.6.5 所列荷载仅指还原炉为 24 对棒～36 对棒情况下的荷载。

5 本款是在现行国家标准《建筑结构荷载规范》GB 50009 的基础上，根据多晶硅厂房的生产特点进行了系数调整；搬运、装卸设备时的动力系数可取 1.1～1.2，其动力作用只传至楼板、梁等支撑构件。

9 给水、排水和消防

9.1 给 水

9.1.2 工厂的生产用水主要包括循环水的补充水、冲洗用水及尾气淋洗用水。循环水系统的补充水水质应根据循环水系统的水质确定；为保证多晶硅的纯度，炉筒与硅棒的冲洗用水为纯水；尾气淋洗可采用生产水和回用水，应优先采用回用水。

9.1.3 本条是强制性条文。在精馏装置、整理厂房硅料清洗工段、三氯氢硅罐区等装置区及储罐区内的管道、管阀件以及设备出现跑冒滴漏现象时，物料喷溅出来，将对附近工作人员的身体特别是眼睛造成伤害，淋浴器及洗眼器可对身体和眼睛进行紧急冲洗或淋洗，避免物料中的化学物质进一步对人体造成伤害。

9.1.4 当从河道取水时，计算水体95％保证率的可取水量，应考虑下游用水量及河道最小生态流量。

9.1.6 根据《多晶硅行业准入条件》要求，水资源应实现综合回收利用。设备冷却应采用间接循环冷却方式，各点排水应根据排水水质及用水点的回用要求，进行分质处理、分质回用，以达到合理用水，节约水资源的目的。

9.2 排 水

9.2.2 室外排水采用雨水和污水分流是基本的要求，对缺水地区，采用雨水回收利用对节约用水是非常必要的。

9.2.4 废水分类收集不仅是为满足废水处理工艺要求，同时也为保证各排水系统的正常运行。采用重力式排水系统能有效避免管道堵塞，减少系统的维护工作量。

9.2.5 计算事故池容积时，装置区区域内(露天部分)雨水量取该区域内的日平均降雨量(由年平均降雨量除以年平均降雨日数得到)。

9.2.6 高浓度含氟废液具有较强的腐蚀性,有可能在输送管道的薄弱处发生泄漏。为避免泄漏影响生产、威胁人身安全及污染周围环境,应考虑充分的保护措施,同时还应加强日常维护。做到及早发现泄漏,及早处理。

9.3 废水处理

9.3.1 处理后废水应优先回用至尾气淋洗工艺,多余部分外排。

9.3.2 多晶硅工厂产生的生产废水主要为尾气淋洗废液,废液处理设施尽量与尾气淋洗设施就近设置,同时考虑处理用药剂及产生污泥的运输。

9.3.4 本条是强制性条文。硅料清洗产生的含氟废酸氟含量偏高,腐蚀性强,在处理时应采取措施防止液体泄漏及氢氟酸挥发至大气中,造成污染,故应单独处理。同时单独处理含氟废酸,可减少处理药剂用量,保证整个工厂处理排水最终达标排放。此部分废液可先单独预处理后再与其他生产废水混合处理。

9.3.5 废水调节池、尾气淋洗水解池等泄漏时,会对地下水造成污染,宜在地下水下游设置1处检测点,监测地下水酸碱度(pH值),氯、氟及溶解盐等污染物的含量。

9.4 循环冷却水系统

9.4.2 部分设备对冷却水的温度、压力、水质的要求比较严格,一旦超出其设定的参数,就自动报警停机,严重影响正常生产。所以冷却水系统应根据工艺设备的具体要求单独设置,避免相互干扰。

9.4.3 本条是强制性条文。硅芯拉制炉、还原炉和单晶炉在循环水供电系统出现事故时,设备内产生的热量无法被循环水带走,将会导致设备损坏,设备内物料泄漏。为防止上述事故发生,在循环水系统中增设保安水箱及柴油水泵(或柴油电源),当水泵供电系统事故时，由柴油泵（或柴油电源）向设备供水，以保证循环水供给不中断。

9.4.4 针对开式循环水系统，应设旁滤系统及缓蚀阻垢药剂投加系统；针对闭式循环水系统，从国内工厂现场运行情况看，仅在系统中增加管道过滤器即能满足运行要求。

9.5 消 防

9.5.2 本条是强制性条文。发生在装置区及储罐区的火灾多由物料泄漏引起，由于物料具有毒性，同时易燃、易爆，火灾发生时，消防人员很难靠近着火区域，故在该区域必须设置稳高压消防给水系统，同时在该系统上设置固定消防炮。当发生火灾时，消防炮能有效迅速地扑灭火灾，同时可以防止泄漏进一步扩散。

9.5.3 设置固定式消防水炮，可以在装置及储罐泄漏时有效控制泄漏物料进一步扩散。当着火时，能冷却着火罐相邻储罐。消防水炮应是装置区及储罐区最有效的消防辅助措施，但发生火灾时，及时转出着火装置及储罐内的剩余物料，并向其内部输送工艺氮气才是熄灭火灾的最主要措施。

9.5.4 根据国内工厂现场火灾处理经验，砂子对漏料产生的初期火灾和零星火灾的扑灭还是比较有效的，并且砂子使用方便，价格便宜，取材容易。本条结合现行国家标准《石油库设计规范》GB 50074中砂子及灭火毯的配置要求，规定了储罐区的配置要求。

9.5.5 全厂分散型控制系统（DCS）是保证全厂安全、稳定运行的重要设施，分散型控制系统（DCS）机柜室内设控制机柜，由于平时机柜室内没有工作人员，故发生火灾后不易被发现，且造成的损失较大。所以设置气体灭火系统可以在火灾初期将火扑灭，同时避免设备损害。

9.5.6 为了减少洁净区的污染，洁净区一般采用水型、泡沫和二氧化碳灭火器。

10 采暖、通风与空气调节

10.1 一般规定

10.1.1 本条规定了主要建筑物，还原车间、多晶硅产品后处理及检测分析等有洁净等级要求的生产单元的空气洁净度、温度、湿度的要求。本规范附录C表C中的空气洁净度等级主要参照现行国家标准《洁净厂房设计规范》GB 50073的有关规定，并根据国内现有多晶硅生产厂房的实际情况制订的。

为了尽量节约能源，降低生产成本，一些地区的环境条件较为适合，不设置空调基本可以符合标准的情况下，除了分析检测的恒温、恒湿要求外，其他房间可按本规范附录C表C适当放宽温度、湿度的要求。

10.1.2 根据对国内现有多晶硅厂房的调查，绝大多数洁净厂房若未采用散热器采暖，则散热器容易积灰，不易清洁。现行国家标准《洁净厂房设计规范》GB 50073作出"空气洁净度等级严于8级的洁净室(区)不得采用散热器采暖"的强制性条文的规定，因此本条作出相应规定。

10.1.3 本条是强制性条文。还原管道夹层一般在还原炉室下方，四周不设围墙，当有少量氢气泄漏时，便于自然通风和危险气体扩散，见本规范第10.2.4条的规定。在严寒地区为了管道防冻需要，还原管道夹层设外墙，这时管道夹层即为甲类生产厂房，根据现行国家标准《建筑防火设计规范》GB 50016的规定，在甲类生产厂房内有爆炸性气体时，采用热风采暖不应回风。因此，本条作出强制性规定，必须严格执行。

10.2 通 风

10.2.1 对生产过程中散发的有害物质，必须采取有效的预防治理措施，厂房内应采取必要的通风措施来保证劳动、环境卫生及人员安全，同时，生产设备的局部排风应采取有效的净化处理措施达到排放标准。

10.2.2 为保证房间的负压，房间总送风量应小于总排风量，设计时应进行风平衡计算。

10.2.3 有关还原炉室通风要求的说明如下：

1 还原炉伴有氢气等危险化学品存在，防火、防爆设计中为防护重点，一般在还原炉室设有整体排风。事故通风排风量可以由整体通风和事故通风系统共同负担，整体通风的风机应符合事故通风防火、防爆的要求。本款规定事故总排风量不得小于6次/h的换气次数，主要因为还原炉室一般为层高10m以上的高大厂房，厂房体积过大，而事故状态氢气主要聚集在厂房上部，对于厂房上半部事故排风量实际可满足12次/h的换气次数要求即可；在满足安全的前提下，考虑到投资和运行费用，同时根据行业调查情况，规定事故总排风量不得小于6次/h的换气次数是能满足事故排风要求的。

2 单独机房的要求不包括屋顶风机。排除爆炸性气体的排风机如设在风机房时，应设计单独的机房，不应与其他通风送、排风等合用风机房。

3 在还原车间，为了保证发生事故时能有效及时地排除爆炸性气体，可根据事故排风系统情况设置备用风机，这里采用了“宜”；当设置单台排风机时，应设置备用风机；当设置多台风机可以满足事故排风量时，可不设置备用风机。

4 氢气泄漏并容易在顶棚等死角处聚集闪爆，排除氢气与空气混合物时，事故排风吸风口位置应按照现行国家标准《采暖通风与空气调节设计规范》GB 50019的规定布置。

5 当静电聚集到一定程度会产生静电火花，导致具有爆炸危险的氢气和空气的混合物燃烧爆炸，因此有必要采取防静电接地措施。

10.2.4 还原车间管道夹层一般四周不设外墙，可以自然通风，但为防止泄漏的氢气聚集在上部建筑结构梁内，规定在建筑结构梁内设导流管，并且导流管均匀布置。

10.2.5 有关酸性废气净化的要求说明如下：

1 腐蚀清洗采用强酸，腐蚀清洗设备及配酸柜等设备设有局部排风口，局部排风排出含酸废气浓度很高，对环境危害很大，不能直接排放。所以应当采取有效的净化措施，使废气处理至达标后排放。

2 实验过程一般会产生含有酸、碱蒸气的废气和含有有机溶剂蒸气的废气，这些废气的有害物浓度一般都超过现行国家标准《大气污染物综合排放标准》GB 16297 的有关规定。由于实验种类较多，分布不集中，使用时间不同，每个系统的排风量不大，不宜集中处理。因此可以采用干式活性炭吸附装置进行废气处理。

10.2.6 喷砂、硅棒破碎等生产工艺产生二氧化硅粉尘，虽然粉尘浓度较低，但不能达标排放，因此作了本条规定。

10.2.8 有关排除酸性废气及粉尘的系统设计要求说明如下：

1 一般情况下，排除酸性废气及粉尘的净化处理装置和除尘器设在负压段，主要是保护通风机的酸性气体的腐蚀或粉尘的磨损，延长风机的使用寿命。由于某种情况把净化处理装置和除尘器设在正压段时，要选择专用的防腐风机或排尘风机。

2 在还原厂房中，工艺设备的局部排风比较重要，工艺设备为连续生产，要求排风保证率很高，往往会因为某个局部排风系统出现故障而造成事故，这时可以采用备用风机；接入应急电源也能提高排风系统的安全性。

3 风机采用变频装置，主要是考虑便于运行管理，节约能源。

5 设备并联运行时，入口设置密闭阀能便于控制管理，更好地满足生产需求。

10.2.9 设计中应根据风管中空气介质的性质，正确采用风管材料。

10.2.10 洁净区的排风系统风管采取防止倒灌的措施，主要是为防止空气净化系统停止运行时，室外空气倒流进洁净室，引起污染或积尘。工程中常采用的防止倒灌的措施包括在排风口装设中效过滤器，装设止回阀，装设密闭阀，采用自动控制装置等。

10.2.11 空气压缩机房、冷冻机房、压缩空气站、制氮站、锅炉房、循环水站、变电站等站房内有大量余热，循环水泵房、纯水站房等有可能产生大量余湿，夏季应尽量利用自然通风，当自然通风不能满足时，可以采用机械通风或机械通风与自然通风的联合通风方式。

10.2.12 本条中的现场分析室是设置在四氯化硅氢化、还原尾气干法回收、还原车间管道层、三废处理站等建筑物或构筑物内，这些工序需要对某些物料进行在线分析。

10.3 空气调节与净化

10.3.2 本条主要是从安全、节能、环保及便于运行管理等方面考虑的。

10.3.3 本条中空气洁净度等级及送风量主要依据现行国家标准《洁净厂房设计规范》GB 50073，洁净室送风量（静态）和气流流型见表1。

表1 洁净室送风量(静态)和气流流型

空气洁净度等级	气流流型	平均风速(m/s)	换气次数(次/h)
1～5	单向流或混合流	0.20～0.45	—
6	非单向流	—	50～60
7	非单向流	—	15～25
8～9	非单向流	—	10～15

表1中换气次数适用于层高小于4.0m的洁净室；室内人员少、热源少时，宜采用下限值。

根据国内现有多晶硅生产厂房的实际情况制订的“三级过滤”，就是将粗、中、高效过滤段全部设在净化空调机组内，用风管将净化的空气直接送入洁净室或房间，不再设高效过滤器送风口。这种空气净化形式可以满足多晶硅厂房部分工艺生产的要求，减少投资，运行管理方便。这里规定还原炉室的送风换气次数，主要是对应还原炉室的排风量不得小于6次/h的换气次数。

10.3.4 本条是强制性条文。关于洁净室新鲜空气量的问题，现行国家标准《工业企业设计卫生标准》GBZ 1和《采暖通风与空气调节设计规范》GB 50019都对空调房间人员所需最小新风量作了强制规定，“工业建筑应保证每人不小于30m^3/h的新风量”。现行国家标准《洁净厂房设计规范》GB 50073规定“保证供给洁净室每人每小时的新鲜空气量不小于40m^3”，因此本规定对洁净区和非洁净区的新风量采用了不同标准，以保障人身安全。

10.3.5 “集中送风”是指净化空调机组设在空调机房，空气经过过滤、加热、制冷、加湿等集中处理之后，由风管送入洁净室。“风机过滤机组”是指由风机和高效过滤单元组成的机组。多晶硅厂房净化空调系统，一般洁净等级在6级以下时，采用集中送风形式；洁净等级在5级以上(包括5级)时，采用集中送风加风机过滤机组的形式。

10.3.6 本条是强制性条文，对洁净室压差控制作出规定。为了保证洁净室在正常工作或空气平衡暂时受到破坏时，气流能从空气洁净度高的区域流向空气洁净度低的区域，而且洁净室的洁净度不受污染空气的干扰，所以洁净室与周围环境应保持一定的压差。

10.3.7 本条是保证洁净室压差控制的措施。

10.3.8 本条对洁净室噪声级提出要求。“空态”是指洁净室设施已经建成，所有动力接通并运行，但无生产设备、材料及人员的阶段。

10.3.9 本条是强制性条文。还原车间生产使用氢气，火灾危险性分类为甲类，现行国家标准《采暖通风与空气调节设计规范》GB 50019相关条文强制规定，甲、乙类生产厂房不应使用循环空气，以保障人身安全。

10.3.10 腐蚀清洗室、配件清洗室、硅棒破碎室空气洁净度分别为7级以上、8级、7级，工艺生产有酸性腐蚀性气体或有粉尘，局部排风不能完全排除酸气及粉尘，这样净化空调系统就不应回风。

10.3.11 本条是洁净厂房设置多套净化空调系统，新风集中处理的时候对新房机组功能的要求。主要是为了安全和节能。

10.3.12 空气过滤器分类、性能指标参照了现行国家标准《空气过滤器》GB/T 14295 和《高效空气过滤器》GB/T 13554 的规定。在多晶硅厂房设计中，一般常用的过滤器有粗效过滤器、中效过滤器、亚高效过滤器、高效过滤器。

过滤器的额定风量是过滤器在一定的过滤风速下，其效率和阻力最合理时的风量。如果大于额定风量，过滤器阻力增大，导致系统阻力增加。对于高效过滤器，风速过大有可能吹破滤纸。

中效过滤器集中设置在净化空调机组的正压段，主要是考虑到机组的负压段向内漏风，影响过滤效果。

一般有洁净等级的洁净室，高效过滤器宜设在空调系统末端；对于三级过滤净化空调，高效过滤器可设在净化空调机组内中效过滤器后的正压段上。

10.3.14 在净化空调系统中，空气过滤器的阻力占空调系统总阻力的比例很大，空气过滤器的阻力会随着容尘量的增多而增加，使系统的风量减少，因此在计算系统阻力时应按过滤器的终阻力计算。系统初运行时，过滤器初阻力较小，系统阻力低，风机采用变频装置可以调节风量，达到节能目的。

10.4 防 排 烟

10.4.2 机械排烟系统一般应与通风、空调系统分别设置，主要考虑排烟系统的可靠性和便于操作。如果确实建筑空间不够，风管布置困难的情况下，采用与通风、空调系统合用时，则使其除了满足平时通风空调的要求外，还要符合现行国家标准《建筑防火设计规范》GB 50016 的相关规定。

10.4.3 在现行国家标准《建筑设计防火规范》GB 50016 中，对地上密闭场所设置排烟系统时要求考虑补风，补风量不应小于排烟量的 50%。洁净厂房或房间都是密闭空间，故对排烟补风量作出同样的规定。洁净房间疏散门是朝疏散方向开启的，如果排烟时负压过大，则会使疏散门开启困难，因此参照现行国家标准《建筑防火设计规范》GB 50016 对防烟楼梯间、前室及合用前室的正压值作出规定，本条规定房间疏散门内外的压差不宜大于 30Pa。

10.5 空调冷热源

10.5.1 冷热源站的功能是向空调系统或工艺设备供冷或供热，一般集中冷热源站要考虑总图规划、工艺用冷或用热需求以及管理要求，其位置选择与工艺布局、气象条件、能源供应状况、输送能耗等因素密切相关，还受到环保、消防、工程建设规模、分期建设等多方面因素制约，需要综合比较后确定。对于设备数量多、规模大的冷热源站，尽量布置在冷热负荷中心位置。大型冷热源站宜独立设置，小型冷热源站也可以设置在生产厂房内，因其输送能耗较小，可节省用地。

10.5.3 本条规定了多晶硅工厂在具有不同的能源形式或多种能源形式时，能源使用的先后排序，主要是为了优先使用余热或废热，以及天然能源。根据项目具体情况，进行技术经济比较后优先采用具有明显节能前景的用能方案。第 4 款中提出采用吸收式热泵，主要是利用 25℃～60℃的冷却水的低温余热，通过少量高品位热能驱动，制取 45℃～90℃中高温热水，供采暖区域集中供热，可实施规模化热回收。吸收式热泵进行热回收节能效率达45%～55%。

10.5.4 本条对冷源设备选型作出原则规定。

2 机组台数的选择应根据工程大小，全年不同季节最大、最小负荷等确定，当冷源相同时，分别采用同类型制冷机组，如电制冷型冷水机组，一般不宜少于2台；大工程台数也不宜超过5台。当冷源不同时，分别采用不同类型制冷机组，为保证设备运行安全可靠，小型工程选用1台机组时应选择多台压缩机分路联控的机组，即多机头联控型机组。

3 由国务院批准的《中国消耗臭氧层物质逐步淘汰国家方案》中规定，对臭氧层有破坏的CFC-11、CFC-12制冷剂最终禁用时间是2010年1月1日。当前广泛用于空气调节制冷设备的制冷剂为HCFC-22、HCFC-123、R134a，其中HCFC-22、HCFC-123按照国际公约的规定，我国的禁用年限是2040年。

10.5.5 制冷机的性能系数、锅炉的热效率应符合现行国家标准《公共建筑节能设计标准》GB 50189的规定，主要是为了满足节能要求。

10.5.6 因冷热源站设备功率较大，高速运转设备产生振动和噪声较大，应远离有防微振要求的工艺区。

10.5.7 在冷热水系统中，闭式一次泵系统管路比较简单，不仅初投资少，输送能耗也低，推荐使用。

当系统较大，阻力较高，且各环路特性相差较大，或压力损失相差悬殊，差额大于50kPa时，按某一个最不利环路配置循环泵会造成其他管路需要通过旁通、节流等方式予以消耗，输送能量的利用率较低，能耗较高。若采用二次泵系统，二次泵流量与扬程可以根据不同负荷特性环路分别配置，变频调控负荷侧流量，节能效果明显。

加大供回水设计温差，输送系统减少的能耗大于由此导致的冷水机组设备传热效率下降所增加的能耗，对于整个空调系统具有一定的效益；在制冷量不变的情况下，可以减少冷冻水输送管径，节省厂房空间。由于加大冷冻水供回水温差，相应的设备运行参数也会发生变化，因此应进行经济技术比较后确定。

采用高位膨胀水箱定压，相比闭式定压罐的方式具有安全、可靠、消耗电力相对较少，初投资低等优点，推荐优先采用。

11 环境保护、安全和卫生

11.1 环境保护

11.1.6 本条是强制性条文。近年来,由多晶硅企业直接或间接引发的污染事故都与含氯硅烷的废液、废渣有关,因此本条规定了含氯硅烷的废液和含镍的废硅粉必须经过无害化处理,这也主要是为了保证多晶硅工厂废渣、废液的处理、排放满足国家和地方的要求,降低对周边环境的污染影响,真正做到环境保护、绿色生产。

11.1.7 设计时,首先应从声源上进行噪声控制,对设备供应商提出要求,采取措施有效降低噪声;采用隔声、消声、吸声等控制措施;噪声控制最终符合现行国家标准《工业企业厂界环境噪声排放标准》GB 12348 的规定。

11.2 安全

11.2.1 《中华人民共和国劳动法》规定:劳动安全卫生设施必须符合国家规定的标准。新建、改建、扩建工程的劳动安全卫生设施必须与主体工程同时设计、同时施工、同时投入生产和使用。

11.2.3 本条是强制性条文。因为氢气、三氯氢硅、二氯二氢硅等主要原材料和中间物料的毒性都属于中度,火灾危险类别都属于甲类,所以这些物质的储存、输送和生产使用场所都必须按照它们的毒性和火灾危险类别考虑相应的安全措施,并对此进行可靠的防火、防爆、消防以及检测等方面的安全设计。

11.3 卫生

11.3.1 多晶硅生产中伴有易燃、易爆、有毒、有腐蚀性物质的存在,为了减少事故的发生,降低对人员造成的伤害,应有可靠的劳动卫生设计，需要执行国家有关劳动卫生方面的法律、法规和规范；规范方面需要遵循现行国家标准《工业场所有害因素职业接触限值》GBZ 2、《工业企业设计卫生标准》GBZ 1 等的要求；法律方面根据《中华人民共和国劳动法》的规定，“劳动安全卫生设施必须符合国家规定的标准。新建、改建、扩建工程的劳动安全卫生设施必须与主体工程同时设计、同时施工、同时投入生产和使用”。

12 节能、余热回收

12.1 一 般 规 定

12.1.1 本条是对可行性研究和初步设计阶段节能设计的规定。可行性研究和初步设计是立项的依据，由于我国法律、法规的不断完善，管理部门对可行性研究和初步设计的审查愈来愈严，因此加强可行性研究和初步设计的节能意识至关重要。同时，可行性研究和初步设计也是施工图设计的前提，将节能理念贯穿始终至关重要。

12.1.3 本条对多晶硅工厂生产车间的布置提出了要求。工艺设计在满足多晶硅工厂正常稳定生产的前提下，应充分利用厂区地形条件，使物流流线短捷，减少运输总量，从而降低输送能耗。

12.1.4 多晶硅工厂工程设计时，设计者和项目业主应严格按照《光伏制造行业规范条件》(工信部 2013 年第 47 号)和现行国家标准《多晶硅企业单位产品能源消耗限额》GB 29447 的规定充分论证，保证企业节能、经济的先进性。

12.1.5 电力是多晶硅工业生产主要的能源，节电是多晶硅工厂的主要节能途径。本条对多晶硅工厂电动机等设备的设计选型提出了节能评价值要求。

12.2 生 产 工 艺

12.2.1 目前生产多晶硅的还原炉有 12 对、18 对、24 对、36 对、40 对等型号，不同型号的还原炉在产量、电耗、生产便捷以及经济性方面都有不同，企业应该根据各自特点采用高效率的还原炉。

12.2.3 工艺系统中同时需要供冷、供热的情况下，应优化工艺、采暖、通风、空调参数及换热网络，从而实现各种热量及冷量的最大化利用，实现节能降耗。

12.2.4 采用先进的回收技术（如氢化、渣液回收等技术）可将大量氯硅烷副产物转化为生产原料，可大幅降低生产成本，减少污染物排放，达到物料闭路循环、节能减排的目的。

12.2.5 本条是强制性条文，对多晶硅工厂余热利用系统的建设提出了要求。多晶硅生产过程中的还原电耗是最主要的能源消耗，约占多晶硅能源消耗的1/3；为了维持还原炉正常运行，一般采用热水将热量带出，部分工厂未将此部分热量回收利用，而是通过风冷或循环水冷却的方式散掉，造成大量热量浪费，能源消耗居高不下。余热利用系统是在保证多晶硅生产正常运行的前提下对还原炉等耗能设备进行热能回收，回收的余热用于加热提纯系统的物料。余热利用后多晶硅生产的电耗、热耗等主要能耗指标不能因为余热利用而提高，多晶硅产量不应降低。还原炉热能利用是目前国内外应用最多、最有效的节能技术。

12.2.8 本条是为多晶硅工厂的生产管理，做好节能降耗工作创造条件，规定要求在设计阶段为多晶硅工厂能源计量管理配置必要的硬件设施，必须在计量器具设备的选择上严格执行现行国家标准《用能单位能源计量器具配备和管理通则》GB 17167的规定；对各车间子系统实际消耗进行监测，以便对节能工作进行管理和考核。

12.2.9 循环水、高纯水、脱盐水系统生产过程中会产生大量的洁净废水，这部分废水经回收后可再利用，从而达到减少水资源消耗，节能减排的目的。

统一书号: 1580242·535

定　　价: 24.00 元